Coordinació:	MARTA MAS PRATS
	ALBERT VILAGRASA GRANDIA
Autors:	NÚRIA BASTONS VILALLONGA
	MARTA MAS PRATS
	GEMMA VERDÉS PRIETO
	M. HELENA VERGÉS CARRERAS
	ALBERT VILAGRASA GRANDIA

LLIBRE DE L'ALUMNE

VEUS 1

CURS COMUNICATIU DE CATALÀ

ENFOCAMENT PER TASQUES

Publicacions de l'Abadia de Montserrat

Primera edició, setembre de 2005
Segona edició revisada, setembre de 2009

© Coordinació del projecte: Marta Mas Prats i Albert
Vilagrasa Grandia, 2005

© Autors: Núria Bastons Vilallonga, Marta Mas Prats,
Gemma Verdés Prieto, M. Helena Vergés Carreras
i Albert Vilagrasa Grandia, 2005

© Il·lustracions: Javier Olivares, 2005

© Fotografia coberta: Jordi Salinas, 2009

© Fotografies: Getty Images, Photostock, F.C.
Barcelona: Hans Gamper, 2005, i Copa d'Europa,
2009

© Fotògrafs: Pau Guerrero i Ingrid Morató, 2005
Jordi Salinas, 2009

Disseny: Blanca Hernández i Jordi Avià

La propietat d'aquesta edició és de Publicacions de
l'Abadia de Montserrat
Ausiàs Marc, 92-98 - 08013 Barcelona
ISBN: 978-84-9883-178-8
Dipòsit legal: B. 33.369-2010

Imprès a Tallers Gràfics Soler S.A.
Enric Morera, 15 08950 Esplugues de Llobregat

Agraïments:

Agraïm als alumnes de primer curs de les Escoles Ofi-
cials d'Idiomes de Barcelona Drassanes i Barcelona
Vall d'Hebron la seva participació en el pilotatge de
les unitats, i al professorat del Departament de Català
de l'Escola Oficial d'Idiomes de Barcelona Drassanes
la seva col·laboració en la valoració dels materials.

Expressem la nostra gratitud als amics Anna Berruezo
i Joan Melcion, que ens han aconsellat en diferents
moments del procés d'elaboració dels materials.

També donem les gràcies a totes les persones, amics,
familiars, alumnes..., al restaurant *ÉS* i a la cafeteria
Olívia cafè de Barcelona, que han prestat, de manera
desinteressada, la seva imatge com a part il·lustra-
tiva del llibre.

Volem fer una menció especial de la Blanca i del Jordi,
amb qui hem compartit la il·lusió del projecte.

També agraïm la col·laboració de totes aquelles
persones, especialment de Josep Peres i Monter, que
amb els seus suggeriments han fet possible la millora
d'aquesta edició.

Salutació

Que uns materials didàctics per a l'aprenentatge d'una llengua estrangera mantinguin la seva vigència durant una dècada podria ser considerat un fet d'excepció en la indústria editorial, si aquesta llengua fos l'anglès, el francès, l'alemany, l'italià o l'espanyol, per esmentar les que en el nostre entorn són les que gaudeixen de consideració prioritària com a llengües objecte d'aprenentatge. Que aquesta vigència s'estengués a més de dues dècades, ja començaria a merèixer el qualificatiu de «fenomen digne d'estudi». I potser d'alguna valoració no necessàriament positiva respecte a l'estat de salut del sector implicat en l'ensenyament d'aquesta llengua. Aquest fenomen s'ha esdevingut, pel que fa a això que ara se'n diu ensenyament/aprenentatge del català com a segona llengua o com a llengua estrangera, amb el curs *Digui, digui...* Des de l'any 1984, en què va ser publicat, ha continuat constituint, any rere any, una opció a considerar, per part del professorat i les institucions dedicades a l'ensenyament del català, a l'hora d'escollir materials didàctics per a aprenents no catalanoparlants, tot i que els més de vint anys d'edat del curs ja mostren, de manera massa inclement, les marques i les xacres del pas del temps.

Els materials que teniu a les mans, i que han estat batejats amb el nom genèric de **Veus,** són, per així dir-ho, el descendent natural del *Digui, digui....* I ho són perquè, igual que el seu predecessor, són fruit d'una experiència consolidada en la feina diària a les aules de l'Escola Oficial d'Idiomes, on l'ensenyament del català es planteja, de la mateixa manera que el d'altres llengües estrangeres, com un procés gradual per aprendre a usar el català com a instrument de comunicació vàlid, eficaç i útil, en qualsevol situació de la vida quotidiana dels centenars de persones que, cada curs, i procedents de qualsevol punt del planeta, s'hi acosten per matricular-s'hi, amb l'esperança de fer-se seva aquesta llengua, des dels primers dies de classe.

En aquests més de vint anys que separen l'aparició del *Digui, digui...* i la de **Veus,** han passat, però, moltes coses, que s'han de veure forçosament recollides en aquests nous materials. En primer lloc, s'ha produït –s'està produint– un canvi radical en el mapa sociolingüístic del país. L'efecte d'allò que anomenem «globalització», amb els fluxos migratoris de procedències –geogràfiques, culturals i lingüístiques– tan variades i diverses, dibuixa un panorama de potencials aprenents que no té res a veure amb la situació de principis dels vuitanta i que, per tant, modifica el retrat robot (les seves motivacions i els seus hàbits d'aprenentatge, les seves necessitats d'ús de la llengua, les seves referències culturals...) del possible destinatari d'un curs de català per a no catalanoparlants.

En un altre ordre de coses, el món de la metodologia de l'ensenyament de llengües també ha anat evolucionant i aportant nous plantejaments i noves estratègies d'aprenentatge. Entre elles, una de les més destacades en aquests anys, dins el que es manté com a enfocament comunicatiu, ha estat l'organització de les unitats didàctiques a partir de tasques significatives (el que es coneix com a «enfocament per tasques»), amb tot el que això comporta: focalització en el procés, participació més activa de l'aprenent en aquest procés, flexibilitat i possibilitat d'adaptació de les propostes didàctiques a les necessitats i l'entorn dels aprenents, etc.

Tant el nou perfil de l'aprenent a qui van destinats aquests materials com la incorporació de noves aportacions en el camp de la metodologia són, probablement, els dos aspectes fonamentals que confereixen a **Veus** aquest valor de renovació, dins una tradició ben consolidada en el camp de la metodologia de llengües estrangeres. Una tradició que es vincula directament amb el Projecte de Llengües Modernes, endegat des del Consell d'Europa a principis dels anys setanta, i que ha tingut com a darrera gran aportació la publicació del *Marc Europeu Comú de Referència per a les llengües,* un document que, entre altres coses, estableix una escala referencial de nivells de domini de llengües, a la qual també **Veus** es remet.

Saludem, doncs, amb entusiasme indissimulat, l'aparició d'aquests materials, amb l'esperança que la família de germans, cosins, fills, nebots i d'altres parents furtius d'aquest curs es vagi ampliant i complementant d'ara endavant, pel bé i per la satisfacció de l'esforçat i mai prou reconegut gremi del professorat de català.

Joan Melcion
Coordinador i autor del curs *Digui, digui...*
Setembre 2005

Presentació

Veus és un mètode d'aprenentatge de català, com a segona llengua, elaborat d'acord amb les directrius del *Marc Europeu Comú de Referència per a les llengües: aprendre, ensenyar i avaluar* del Consell d'Europa.

És un mètode basat en l'ensenyament per tasques. Les unitats estan seqüenciades de manera que la suma d'activitats possibilita la realització de la tasca final, com a activitat global comunicativa. S'hi treballen, de manera integrada, totes les habilitats lingüístiques, i la gramàtica i el lèxic necessaris per a cada objectiu proposat.

Va adreçat a joves i adults de procedències i cultures diverses, ja visquin als Països Catalans, ja estudiïn català des dels seus llocs d'origen, a alumnes de secundària (2n cicle d'ESO i nivells superiors) també de procedències i cultures diverses, i a usuaris que segueixen els cursos com a autoaprenents.

Veus 1

Correspon a un nivell que al marc europeu esmentat se situa entre l'A1 i l'A2. En podríem dir un A1 *plus*. Es calcula que l'adquisició dels objectius i continguts aplegats a **Veus 1** es pot fer en unes 120 hores, 20 hores per a cada unitat.

Consta de: Llibre de l'alumne, Llibre d'exercicis, Llibre del professor i material àudio en CD.

Llibre de l'alumne

Conté 6 unitats de 18 pàgines cadascuna, amb una tasca final, que es resol amb una actuació parlada o escrita o parlada i escrita, i activitats, de 16 a 19 per unitat, que possibiliten la resolució de la tasca final. Les activitats tenen objectius diferents per tal que els alumnes interactuïn, treballin amb textos orals i escrits, practiquin estructures gramaticals i lèxic, coneguin determinades realitats socioculturals...

Les activitats s'acompanyen de tots els elements il·lustratius, estructurals i lèxics necessaris perquè els alumnes les puguin resoldre. Sovint al marge de la pàgina hi ha alguns ajuts addicionals (elements de comunicació real a l'aula) per facilitar la interacció en parelles o en grup, a fi que puguin resoldre l'activitat.

Llibre d'exercicis
Exercicis

Hi ha sis unitats corresponents a les sis unitats del Llibre de l'alumne. Cada unitat té un nombre diferent d'exercicis, que oscil·la entre 30 i 43, segons la complexitat de cadascuna. Hi ha exercicis escrits i orals, en què es treballen habilitats diverses, encara que es fa un èmfasi especial en l'adquisició de les estructures gramaticals i del lèxic necessaris per assimilar els components lingüístics que contenen les activitats proposades al Llibre de l'alumne. Estan ordenats seguint les activitats del Llibre de l'alumne.

Solucions

Són darrere dels exercicis. A vegades es donen solucions orientatives.

Gramàtica

Es tracta d'una gramàtica d'ús seqüenciada per unitats que conté explicacions sobre la forma i l'ús dels elements gramaticals necessaris, només, per resoldre cada activitat del Llibre de l'alumne. Al final hi ha un resum dels paradigmes dels elements gramaticals apareguts al Llibre de l'alumne, presentats en quadres generals. Només s'hi presenta la forma d'aquests elements. També hi ha un petit apartat corresponent a pronunciació i ortografia.

Transcripcions

Conté la transcripció de tots els elements orals enregistrats, tant del Llibre de l'alumne com del Llibre d'exercicis. Estan organitzats per unitats: primer hi ha les activitats del Llibre de l'alumne i després els exercicis del Llibre d'exercicis.

Llibre del professor

Conté una introducció on s'explica la metodologia, l'estructura i el maneig de tots els materials que componen **Veus 1**, i les explicacions, unitat per unitat i activitat per activitat, del Llibre de l'alumne. En les explicacions per a cada activitat s'hi explica l'objectiu de l'activitat; algunes observacions relacionades amb trets importants o conflictius, lingüístics o socioculturals, i el desenvolupament o els passos a seguir per resoldre l'activitat. En algunes activitats, s'hi fan suggeriments d'activitats complementàries i s'hi adjunten materials addicionals. Finalment s'hi indica els números dels exercicis del Llibre d'exercicis relacionats amb cadascuna de les activitats i els punts de la Gramàtica als quals es pot acudir o es pot adreçar els alumnes. Si les activitats tenen una solució, aquesta es dóna al final del desenvolupament de l'activitat.

Material auditiu, CD

Hi ha dos CD, el primer conté els exercicis orals del Llibre de l'alumne i del Llibre d'exercicis corresponents a les unitats 1, 2 i 3, i el segon, els corresponents a les unitats 4, 5 i 6. A la caràtula dels CD hi ha l'índex de les pistes corresponents a cada exercici, per unitats.

Desitgem que les nostres veus us siguin útils en el vostre aprenentatge.

Els autors

Programació

TASCA FINAL	OBJECTIUS I CONTINGUTS	
	APRENDREM A	FAREM SERVIR
UNITAT 1 — JO SÓC AIXÍ Fer un informe del perfil d'altres persones	• Identificar-nos i demanar que algú s'identifiqui • Preguntar la identitat d'una tercera persona i identificar-la • Intercanviar informació personal	• Articles personals • Demostratius: aquest, aquesta, aquell, aquella • Interrogatius: com, qui, quants, quantes, d'on, quina, quines, què, de què • Numerals de l'1 al 100 • Present d'indicatiu: ser, dir-se, tenir, parlar, fer, estudiar, treballar, agradar • Pronoms febles: em, et, es, li • Pronoms forts: jo, tu, ell, ella, vostè, mi • Noms de països, nacionalitats i llengües; d'estudis i de professions • Verbs que indiquen activitats de lleure
UNITAT 2 — CIUTATS I GENT Explicar quines persones es troben a faltar i descriure el lloc on viuen	• Presentar terceres persones i respondre a la presentació • Identificar terceres persones pels vincles i per com són • Donar informació sobre terceres persones • Intercanviar informació sobre un lloc	• Adjectius: gènere i nombre • Connectors: a més (a més), també, perquè, però • Demostratius • Expressions locatives: lluny, a prop, aquí, allà • Interrogatius: on • Numerals a partir del 100 • Possessius • Present d'indicatiu: dir-se, ser, tenir, haver-hi, parlar, viure, conèixer, saber, fer • Pronoms febles: et, li, ens, us, el, la, els, les • Noms de parentesc • Noms i adjectius per descriure llocs i persones
UNITAT 3 — DE SOL A SOL Fer un test per conèixer com és una persona segons els seus hàbits quotidians	• Demanar i dir què es fa habitualment i puntualment • Demanar i dir l'hora • Comparar horaris de diferents llocs	• Expressions temporals: abans de, havent dinat, aviat, ara, sempre, sovint, de tant en tant... • Noms col·lectius: la gent, la majoria • Perífrasi: estar + gerundi • Present d'indicatiu • Noms dels dies de la setmana, de les parts del dia, de les estacions de l'any, d'establiments • Verbs que indiquen accions quotidianes

TASCA FINAL		OBJECTIUS I CONTINGUTS	
		APRENDREM A	FAREM SERVIR
UNITAT 4 — A CASA MEVA O A CASA TEVA?	Negociar, decidir i justificar quines cases o quins pisos són més adequats per fer-hi alguna cosa	• Dir on viu algú • Descriure l'habitatge i l'entorn • Explicar qui són i com són els veïns • Explicar qui fa les feines domèstiques • Fer comparacions • Manifestar una tria i justificar-la	• Expressions locatives: entrant, sortint, a la dreta, al fons, a sota...; a la dreta hi ha..., el bany és a... • Interrogatius: a quin... • Numerals ordinals • Possessius: casa meva • Present d'indicatiu: tenir, viure, estar-se, ser, haver-hi • Pronoms febles: hi, en, ho • Adjectius per descriure persones • Noms d'adreces i de parts d'un habitatge • Noms i adjectius per indicar característiques i entorn d'un habitatge • Verbs que indiquen accions de feines domèstiques
UNITAT 5 — LA NOSTRA HISTÒRIA	Explicar l'experiència d'una persona que va canviar de país o ciutat	• Intercanviar informació personal sobre fets passats • Relacionar fets del passat amb l'experiència personal • Expressar sentiments i estats d'ànim • Explicar com són les persones segons el seu signe zodiacal	• Expressions temporals: quan, al cap de, l'any, quant fa que... • Imperfet d'indicatiu • Interrogatius: quan, quant, per què • Passat perifràstic d'indicatiu • Pronoms febles: em, et, es, ens, us (davant i darrere del verb) • Quantificadors: molt, força, bastant, una mica, gaire, gens • Adjectius per indicar el caràcter de les persones • Noms dels mesos de l'any • Noms dels signes del zodíac • Verbs que indiquen experiències personals i sentiments
UNITAT 6 — QUINA GANA!	Elaborar un menú equilibrat, tenint en compte els gustos del grup	• Intercanviar informació sobre menjars típics i hàbits alimentaris • Expressar gustos i preferències sobre menjars • Entendre i donar instruccions o consells sobre dietes • Entendre i produir els intercanvis lingüístics per comprar aliments: quantitat, qualitat... • Entendre i produir els intercanvis lingüístics necessaris en un restaurant	• Adjectius: gènere i nombre • Imperatiu: posar, apuntar, comprar, dir, tenir, passar, deixar, escoltar, esperar • Numerals: mig, dotzena... • Perífrasi d'obligació en present d'indicatiu: s'ha de... / has de... • Present d'indicatiu: preferir, voler, poder, estimar-se més, agradar • Pronoms febles: em, et, li, ens, us, el, la, els, les, en • Quantificadors: cap i gens • Adjectius que indiquen qualitats, colors i formes • Noms d'aliments, de plats, d'establiments alimentaris i de mesures

JO SÓC AIXÍ

A l'aeroport

A quines ciutats dels Països Catalans arriben els vols? Escolta els avisos i marca de quines ciutats es parla.

BARCELONA
REUS
GIRONA
VALÈNCIA
ALACANT
PALMA
MAÓ
EIVISSA
PERPINYÀ

TASCA FINAL: Fer un informe del perfil d'altres persones

OBJECTIUS I CONTINGUTS		
APRENDREM A	• Identificar-nos i demanar que algú s'identifiqui • Preguntar la identitat d'una tercera persona i identificar-la • Intercanviar informació personal	
I FAREM SERVIR	• Articles personals • Demostratius: aquest, aquesta, aquell, aquella • Interrogatius: com, qui, quants, quantes, d'on, quina, quines, què, de què • Numerals de l'1 al 100	• Present d'indicatiu: ser, dir-se, tenir, parlar, fer, estudiar, treballar, agradar • Pronoms febles: em, et, es, li • Pronoms forts: jo, tu, ell, ella, vostè, mi • Noms de països, nacionalitats i llengües; d'estudis i de professions • Verbs que indiquen activitats de lleure

Benvidos Bienvenue Welcome

mmen 欢迎 Benvenuti Добро пожалова

1 Quines persones avisen? Saps quins són noms de dona i quins són noms d'home? Coneixes noms de dona i d'home en català?

VICENÇ VILARÓ
SERGI GIL
ADRIÀ SALA
ROBERT BENET
MAGDA COLL
ADELA FUSTER
CARME CREUS
COLLINS

Avís núm. 1: senyor Adrià Sala

Avís núm. 2: _____

Avís núm. 3: _____

i _____

Avís núm. 4: _____

Avís núm. 5: _____

Avís núm. 6: _____

Avís núm. 7: _____

Mira com es diu **JORDI** en uns quants idiomes. Hi és en el teu idioma? Saps com es diu el teu nom en català?

JORGE

GEORGES · SIÔRS · GEROGE

JORDI · JORJ

XURXO · SEOIRSE

GIORGIO · JÜRGEN · JØRGEN · JORIS · GORKA · GEORGE

LES LLETRES: VOCALS I CONSONANTS

COM S'ESCRIU			COM ES DIU	EXEMPLES AMB ALFABET FONÈTIC
MINÚSCULES	a	**MAJÚSCULES**	A	a	mà [a], pa [a], lletra [ə]
	b		B	be (alta)	bé [b], àrab [p], amb [Ø], poble [bb]
	c		C	ce	cel [s], farmàcia [s], coca [k], cua [k], accent [ks], visc [sk], ascensor [s]
	ç		Ç	ce trencada	plaça [s], feliç [s], feliços [s], traçut [s]
	d		D	de	dos[d], Madrid [t]
	e		E	e	cel [ɛ], japonès [ɛ], teu [e], entén [e], pare [ə]
	f		F	efa	cafè [f]
	g		G	ge	gel [ʒ], Girona [ʒ], gat [g], got [g], gust [g], psicòleg [k], arreglar [gg], mig [tʃ], suggeriment [dʒ] aigües [ɣw], viatge [dʒ]
	h		H	hac	hora [Ø]
	i		I	i (llatina)	nit [i], Martí [i], noia [j], iaia [j], mai [j]
	j		J	jota	Joan [ʒ], viatjar [dʒ], adjectiu [dʒ]
	k		K	ca	kurd [k]
	l		L	ela	hola [l]
	m		M	ema	cama [m], immediat [mm]
	n		N	ena	nou [n], innocent [nn], tinc [ŋ], vinc [ŋ]
	o		O	o	home [ɔ], arròs [ɔ], dos [o], estació [o] dino [u]
	p		P	pe	pare [p], psicòleg [p], temps [Ø]
	q		Q	cu	quatre [k], quotidià [k], qüestió [kw], ubiqüitat [kw]
	r		R	erra	Ramon [r], cara [ɾ], fer [Ø], bar [r], prendre [Ø], anar-se'n [r]
	s		S	essa	sol [s], mes [s], casa [z], cansa [s]
	t		T	te	tot [t], alt [Ø], setmana [mm]
	u		U	u	tu [u], urdú [u], beuen [w]
	v		V	ve baixa	València [b]
	w		W	ve doble	web [w], waterpolo [b]
	x		X	ics o xeix	xocolata [ʃ], panxa [ʃ], taxi [ks], exercici [gz]
	y		Y	i grega	Nova York [j]
	z		Z	zeta	zero [z], dotze [dz]

ALGUNES COMBINACIONS DE LLETRES

gu _____ guerra [g], guitarra [g]

ig _____ maig [t ʃ]

ll _____ colla [ʎ], Sabadell [ʎ], llapis [ʎ], vull [j]

l·l _____ paral·lel [l]

ix _____ caixa [ʃ], peix [ʃ]

ny _____ nyap [ɲ], Catalunya [ɲ], any [ɲ]

qu _____ què [k], qui [k]

rr _____ carrer [r]

ss _____ massa [s]

tx _____ txec [t ʃ], cotxe [t ʃ], despatx [t ʃ]

ALGUNS SIGNES ORTOGRÀFICS

ACCENT GREU (obert) ⟶	català, xilè, però	PUNT I COMA ⟶	;
ACCENT AGUT (tancat) ⟶	és, professió, filipí, urdú	DOS PUNTS ⟶	:
DIÈRESI ⟶	Lluïsa, Raül	PUNTS SUSPENSIUS ⟶	...
APÒSTROF ⟶	l'àrab	SIGNE D'INTERROGACIÓ ⟶	?
GUIONET ⟶	vint-i-u	SIGNE D'EXCLAMACIÓ O D'ADMIRACIÓ ⟶	!
COMA ⟶	,	AMB MINÚSCULA ⟶	anglès
PUNT ⟶	.	AMB MAJÚSCULA ⟶	Albert

En grup. Quines paraules enteneu i quines podeu dir en català? Sabeu com s'escriuen? Escolliu-ne tres i demaneu als vostres companys que les lletregin.

En grup. Sabeu què volen dir aquestes expressions?

Qui és qui

2 En grup. Identifiqueu-vos i demaneu als vostres companys que s'identifiquin. Després escriviu a la pissarra el vostre nom.

HOLA, SÓC LA LAIA. I TU, COM ET DIUS?

JOSEP.

sóc	en /el	Samuel
	l'	Enric
	l'	Anna
	la	Jane

sóc la Laia
em dic Ø Laia

HOLA, BON DIA. EM DIC EVA PAUSES GADIA. I VOSTÈ, COM ES DIU?

I DE COGNOMS?

ANTONI.

COMES I ROS.

Els catalans, homes i dones, tenen dos cognoms, normalment el primer és el del pare i el segon, el de la mare. Les dones catalanes tenen els mateixos cognoms de casades que de solteres.

PRESENT D'INDICATIU

	SER	DIR-SE
(jo) _____	sóc	em dic
(tu) _____	ets	et dius
(ell, ella, vostè)	és	es diu

tractament informal: **TU**
tractament formal: **VOSTÈ**

com	et dius	?
	es diu	

em dic + nom i cognoms

3 Tria un nom de la pissarra i pregunta als teus companys si es diuen el nom que has triat. Fes una llista amb tots els noms i cognoms.

4 En grup. Voleu comprovar si heu escrit bé els noms dels vostres companys? Pregunteu-vos com s'escriuen i com es pronuncien.

Els números que marquen

ELS NÚMEROS

0	zero		**30**	trenta
1	u (un/una)		**31**	trenta-u
2	dos (dos/dues)		**32**	trenta-dos
3	tres		**33**	trenta-tres
4	quatre		**34**	trenta-quatre
5	cinc		**35**	trenta-cinc
6	sis		**36**	trenta-sis
7	set		**37**	trenta-set
8	vuit		**38**	trenta-vuit
9	nou		**39**	trenta-nou
10	deu		**40**	quaranta
11	onze		**50**	cinquanta
12	dotze		**60**	seixanta
13	tretze		**70**	setanta
14	catorze		**80**	vuitanta
15	quinze		**90**	noranta
16	setze		**100**	cent
17	disset			
18	divuit			
19	dinou			
20	vint			
21	vint-i-u			
22	vint-i-dos			
23	vint-i-tres			
24	vint-i-quatre			
25	vint-i-cinc			
26	vint-i-sis			
27	vint-i-set			
28	vint-i-vuit			
29	vint-i-nou			

Tens mòbil?

Sí, és el 650 18 13 94.

Ho pots repetir, sis-plau?

Sí. 650 18 13 94.

Gràcies.

De res.

5 Completa la llista de noms i cognoms dels teus companys amb els telèfons.

COGNOMS, NOM	TELÈFON (FIX)	(TELÈFON) MÒBIL
Fedders, Andrievs	972 46 16 25	650 18 13 94

Té telèfon?

Sí, és el 972 46 16 25.

Tens mòbil?

No (no en tinc).

PRESENT D'INDICATIU

	TENIR
(jo) _____	tinc
(tu) _____	tens
(ell, ella, vostè) __	té

6 Escolta els missatges i completa els números de telèfon.

Dr. Casanelles
6 5 0 _ _ 38 _ _

Ajuntament de Palafrugell
9 _ 2 _ _ 36 _ _

Wamenadoo
9 _ 2 0 _ _ _ 0 0

Olívia cafè
93 2 _ _ _ _ _ _

7 Vols saber l'edat dels teus companys? Pregunta'ls quants anys tenen i escriu el seu nom a la columna que correspongui. Quantes persones hi ha a cada columna?

Quants anys tens?

(En tinc) divuit.

tinc 18 anys = en tinc 18

	MASCULÍ	FEMENÍ
SINGULAR	quant	quanta
PLURAL	quants	quantes

22 o menys (–)	De 23 a 30	De 31 a 38	(+) Més de 38

Un país, una llengua?

8 D'on ets? Relaciona les frases amb les il·lustracions.

1

6

3

8

7

- ◯ SÓC FRANCESA, DE PARÍS.
- ◯ SÓC CATALANA, DE BARCELONA.
- ◯ ÉS D'ITÀLIA, DE VENÈCIA.
- ◯ JO, ANGLÈS.
- ◯ SÓC DE VERACRUZ.
- ◯ ETS EGÍPCIA?
- ◯ SÓC AUSTRALIÀ, DE MELBOURNE.
- ◯ SÓC XINESA.

ALGUNS GENTILICIS

masculí acabat en		femení +		
consonant:	sue**c**		-a:	suec**a**
-à, -è, -í, -ó:	mexic**à**	-ana, -ena, -ina, -ona:		mexic**ana**
-ès:	japon**ès**		-esa:	japon**esa**

de + vocal / h = d'
de + on = d'on

de + Ø = de Roma, d'Atenes, d'Holanda
de + el = del Brasil
de + l' = de l'Equador, de l'Argentina
de + la = de la Xina
de + els = dels Estats Units
de + les = de les Filipines

Oh!

Escriu el nom dels teus companys i del país d'on són. Quanta gent hi ha de cada continent?

Àfrica	Amèrica	Àsia	Europa	Oceania

9 Llegeix el text.

El català a Europa

EL CATALÀ PERTANY AL GRUP de llengües neollatines juntament amb l'espanyol, el portuguès, el francès, l'italià, el romanès, l'occità, el romanx o retoromànic i el sard. Es parla en una extensa àrea de l'Estat espanyol: Catalunya, Illes Balears, País Valencià i Franja de Ponent (fronterera amb l'Aragó); Andorra; al sud-est de França (Catalunya Nord) i a la ciutat sarda de l'Alguer. El nombre d'aquests territoris és aproximadament de 14 milions, dels quals 10 milions parlen la llengua catalana i gairebé tothom l'entén. Actualment el català és oficial, juntament amb l'espanyol, a tres comunitats autònomes de l'Estat espanyol: Catalunya, Illes Balears i País Valencià. A Andorra el català és l'única llengua oficial.

Mapa: FRANJA DE PONENT · CATALUNYA NORD · ANDORRA · CATALUNYA · PAÍS VALENCIÀ · ILLES BALEARS · MENORCA · MALLORCA · EIVISSA i FORMENTERA · ALACANT · SARDENYA · L'ALGUER

A quants estats es parla el català?

Hi ha habitants dels Països Catalans que no parlen el català?

10 En grup. Escriviu les llengües que es parlen en aquests països.

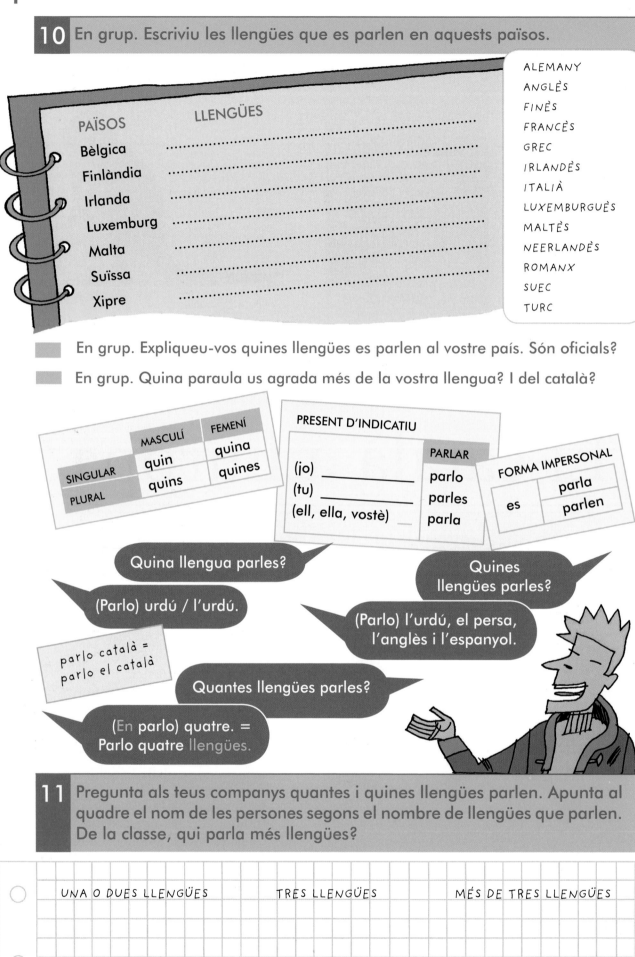

PAÏSOS   LLENGÜES

Bèlgica ....

Finlàndia ....

Irlanda ....

Luxemburg ....

Malta ....

Suïssa ....

Xipre ....

ALEMANY
ANGLÈS
FINÈS
FRANCÈS
GREC
IRLANDÈS
ITALIÀ
LUXEMBURGUÈS
MALTÈS
NEERLANDÈS
ROMANX
SUEC
TURC

En grup. Expliqueu-vos quines llengües es parlen al vostre país. Són oficials?

En grup. Quina paraula us agrada més de la vostra llengua? I del català?

	MASCULÍ	FEMENÍ
SINGULAR	quin	quina
PLURAL	quins	quines

PRESENT D'INDICATIU

	PARLAR
(jo) _____	parlo
(tu) _____	parles
(ell, ella, vostè) __	parla

FORMA IMPERSONAL

es	parla
	parlen

Quina llengua parles?

(Parlo) urdú / l'urdú.

Quines llengües parles?

(Parlo) l'urdú, el persa, l'anglès i l'espanyol.

parlo català =
parlo el català

Quantes llengües parles?

(En parlo) quatre. =
Parlo quatre llengües.

11 Pregunta als teus companys quantes i quines llengües parlen. Apunta al quadre el nom de les persones segons el nombre de llengües que parlen. De la classe, qui parla més llengües?

UNA O DUES LLENGÜES	TRES LLENGÜES	MÉS DE TRES LLENGÜES

Quines aficions tens?

12 En parelles. Fes de psicòleg. Mira les il·lustracions, tria tres aficions que creus que té la teva parella. Pregunta-li si té les aficions que has triat. Si hi ha més SÍ que NO, ets un bon psicòleg. Pots anar canviant de parella.

sí	que	m'agrada
no (, no)	Ø	

(a mi)	m'	
(a tu)	t'	agrada
(a ell, a ella, a vostè)	li	

AFICIONS	SÍ	NO
1. _____	☐	☐
2. _____	☐	☐
3. _____	☐	☐

Depèn...
Doncs...

13 En grup. Pregunteu-vos les vostres aficions. Podeu fer servir diccionaris. Quines són les aficions més i menys repetides en el vostre grup? Compartiu aficions? Amb qui?

Què hi fas, aquí? Estudies, treballes?

| 14 | Fixa't com es diuen en català algunes professions. I els teus estudis o la teva professió, saps com es diuen? Busca-ho al diccionari. |

CAMBRER - CAMBRERA

CAIXER - CAIXERA

PROFESSOR - PROFESSORA

TRADUCTOR - TRADUCTORA

DISSENYADOR GRÀFIC - DISSENYADORA GRÀFICA

PINTOR - PINTORA

Demana als teus companys qui treballa i qui estudia. Apunta al quadre els noms i els estudis o les professions corresponents. Hi ha alguna professió o alguns estudis repetits? Hi ha alguna professió o estudis únics?

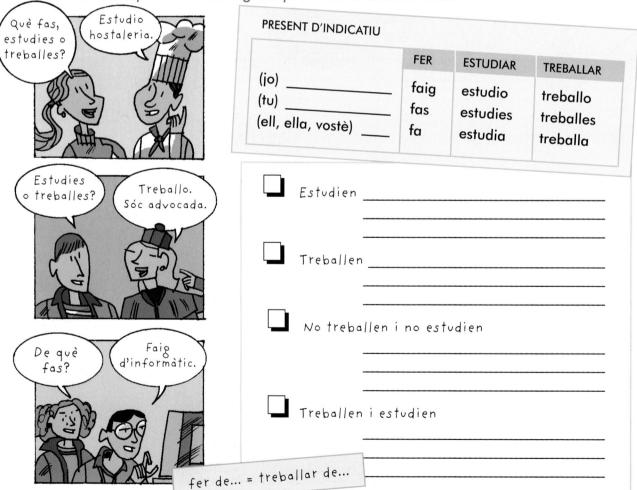

Què fas, estudies o treballes?

Estudio hostaleria.

Estudies o treballes?

Treballo. Sóc advocada.

De què fas?

Faig d'informàtic.

fer de... = treballar de...

PRESENT D'INDICATIU

	FER	ESTUDIAR	TREBALLAR
(jo) ___	faig	estudio	treballo
(tu) ___	fas	estudies	treballes
(ell, ella, vostè) ___	fa	estudia	treballa

- [ ] Estudien _____
_____
_____

- [ ] Treballen _____
_____
_____

- [ ] No treballen i no estudien _____
_____
_____

- [ ] Treballen i estudien _____
_____
_____

15 En parelles. Completa la fitxa amb les dades de la teva parella.

INSTITUT MUNICIPAL D'ESTADÍSTICA

IMe

Nom

Cognoms

DNI o Passaport

Nacionalitat

Sexe Home ☐ Dona ☐

Edat

Estat civil Solter / Soltera ☐ Casat / Casada ☐ Altres ☐

Estudis

Ocupació

Telèfon

Mòbil

ets casat / casada?

estat civil
solter – soltera
casat – casada
viudo – viuda
separat – separada
divorciat – divorciada

16 Escolta i completa els quadres amb la informació de cada persona. Saps què tenen en comú?

PERSONA 1

Nom i cognoms Llorenç Nel·lo Casanova

Edat

Nacionalitat

Estudis

Llengües que parla català, portuguès...

Activitat laboral

Aficions

PERSONA 2

Nom i cognoms Sgargi

Edat

Nacionalitat

Estudis

Llengües que parla italià...

Activitat laboral

Aficions ballar...

Fent amics

17 En parelles A i B. (A tapa l'anunci de B, B tapa l'anunci de A.) Llegeix l'anunci i marca-hi les dades del quadre. Després demana la informació que necessites per completar el teu quadre.

A

Ei! Què hi ha! Com va? Sóc una noia de Granollers, em dic Marina, tinc 16 anys i sóc estudiant, però també treballo. Faig de cangur. M'agrada conèixer noies i nois catalans per anar a concerts. També m'agrada llegir, el teatre, sortir de festa i tot tipus de música (sobretot el rock català). Escriviu aviat! Petonets, NINA saparta@rock.cat

Nom i cognoms

Edat

Nacionalitat

Estudis

Llengües que parla

Activitat laboral

Aficions

PERSONA 3

Nom i cognoms _____

Edat _____

Nacionalitat   de Moçambic _____

Estudis _____

Llengües que parla   bantu... _____

Activitat laboral _____

Aficions _____

PERSONA 4

Nom i cognoms _____

Edat _____

Nacionalitat   de Sud-àfrica _____

Estudis   periodisme _____

Llengües que parla _____

Activitat laboral _____

Aficions _____

B

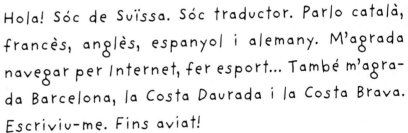

Hola! Sóc de Suïssa. Sóc traductor. Parlo català, francès, anglès, espanyol i alemany. M'agrada navegar per Internet, fer esport... També m'agrada Barcelona, la Costa Daurada i la Costa Brava. Escriviu-me. Fins aviat!

JOAN FERNÁNDEZ
Echallens, 35
1004 Lausana. Suïssa

SALUTACIONS I COMIATS INFORMALS

hola!	adéu!
hola a tots!	que vagi bé!
ei!	fins aviat!
ei! Què hi ha?	petons, petonets, una abraçada,

Amb les dades de la teva parella, redacta un anunci i compara'l amb el real. Fixa't en les salutacions i els comiats.

18 En grup. Reuniu les dades que teniu de les activitats anteriors i completeu el quadre segons les indicacions.

Escriu els noms dels alumnes que són a la llista més llarga.

Escriu els noms dels alumnes que són a la llista més curta.

Escriu el nom de la persona única a la llista.

		1 MÉS ESTÀNDARD	2 MENYS ESTÀNDARD	3 ÚNICA
EDAT	• menys de 22 • de 23 a 30 • de 31 a 38 • més de 38			
CONTINENT DE PROCEDÈNCIA	• Àfrica • Amèrica • Àsia • Europa • Oceania			
QUANTITAT DE LLENGÜES PARLADES	• una o dues llengües • tres llengües • més de tres llengües			
ESTUDIANTS / TREBALLADORS	• estudien • treballen • no estudien i no treballen • estudien i treballen			

Ajunteu les dades de tots els grups. Qui surt més vegades a la columna 1 és el més estàndard. Qui surt més vegades a la columna 2 és més original. Qui surt més vegades a la columna 3 és molt diferent.

I tu, ets estàndard?

Compta quantes vegades surt el teu nom a la columna 1, a la columna 2 i a la columna 3.

Si el teu nom surt més vegades a la columna 1, ets com la majoria de la classe.

Si el teu nom surt més vegades a la columna 2, ets una mica original.

Si el teu nom surt més vegades a la columna 3, ets... una mica estrany?

De veritat, com ets?

19 Fixa't en aquest anunci que has vist a l'escola on estudies català. Escriu un correu electrònic de resposta.

Envia:	rosa89@msm.com
Per a:	isoldastern@msm.com
Tema:	classes de català

Hola, vull practicar el català.

VOLS PRACTICAR EL CATALÀ FORA DE LA CLASSE?

Si tens hores dispo-
nibles, dóna'm les teves dades i la
teva disponibilitat.
Sóc la Isolda Stern. Tinc 32 anys.
Sóc austríaca. Sóc actriu i faig
de professora d'alemany. Parlo
alemany, neerlandès i portuguès.
M'agrada cantar, córrer i llegir.
Truca'm de 19.00 a 21.00 al 647
74 90 50 o envia'm un correu
electrònic a:
isoldastern@msm.com

TASCA FINAL:

Escriu el perfil de les persones més i menys estàndards de la classe i compara el que tu has escrit amb el que han escrit els teus companys de grup. Fixa't en l'exemple.

La persona més estàndard de la classe és la Cindy. És una noia mexicana, d'Oaxaca. Té 31 anys. És periodista, però fa de secretària. Parla dues llengües: l'espanyol i l'anglès. Li agrada escoltar música, cuinar, passejar i fer esport.

La persona MENYS ESTÀNDARD de la classe

La persona MÉS ESTÀNDARD de la classe

CIUTATS I GENT

Us coneixeu? Qui són aquestes persones?

Relaciona les frases amb les fotografies.

Encantada.

⑦

TASCA FINAL: **Explicar quines persones es troben a faltar i descriure el lloc on viuen**

OBJECTIUS I CONTINGUTS	APRENDREM A	• Presentar terceres persones i respondre a la presentació • Identificar terceres persones pels vincles i per com són • Donar informació sobre terceres persones • Intercanviar informació sobre un lloc	
	I FAREM SERVIR	• Adjectius: gènere i nombre • Connectors: a més (a més), també, perquè, però • Demostratius • Expressions locatives: lluny, a prop, aquí, allà • Interrogatius: on • Numerals a partir del 100	• Possessius • Present d'indicatiu: dir-se, ser, tenir, haver-hi, parlar, viure, conèixer, saber, fer • Pronoms febles: et, li, ens, us, el, la, els, les • Noms de parentesc • Noms i adjectius per descriure llocs i persones

Hola, molt de gust.

Què fem?

Ei, què hi ha?

Molt de gust.

1. Aquest és el meu germà que viu a l'Argentina.

2. Us presento els meus pares. Són de Bombai, però viuen a Londres.

3. La Fiona té 30 anys, és australiana, però viu a Florència. Parla anglès i italià.

4. Coneixes en Greg? És de Johannesburg i té 10 anys.

5. La Pepa i en Valentí són catalans i viuen a Eivissa.

6. Els meus oncles, el Hiroshi i la Rieko. Són de Kyoto, una ciutat molt maca del Japó.

7. La meva mare es diu Eliana, és brasilera, de São Paulo, una ciutat de més de 20 milions d'habitants.

8. Aquesta és la senyora Heimburger, la directora de l'empresa danesa.

Com anem?

Hola, què hi ha?

Com va això?

UNA SALUTACIÓ PER A CADA MOMENT

1 Escolta els diàlegs i digues si el tractament és formal o informal.

☐ INFORMAL ☐ FORMAL   ☐ INFORMAL ☐ FORMAL   ☐ INFORMAL ☐ FORMAL

☐ INFORMAL ☐ FORMAL   ☐ INFORMAL ☐ FORMAL   ☐ INFORMAL ☐ FORMAL

Relaciona la columna de l'esquerra amb la de la dreta, segons els diàlegs que has escoltat.

Hola, què hi ha?	Què hi ha?
Encantat.	Anar fent.
Com va això?	Molt de gust.
Què fem?	Molt bé, i tu?
Com anem?	Molt bé.
Com estàs?	
Com està l'Andreu?	

2 En grups de 4. Presenteu algú segons les instruccions i les il·lustracions. Després canvieu de personatge.

Sr. Calvet, Sra. Miralles, els presento el Sr. Casamitjana, el director de l'empresa.

Molt de gust.

Igualment.

Gerard, coneixes l'Empar i la Mariona? Són amigues de l'escola.

Hola, Gerard. Què hi ha?

Hola, què hi ha?

EN UN BANC
El Sr. Prim (director) presenta el Sr. Rigol i la Sra. Vidal (clients) a la Sra. Siurana (administrativa).

EN UN BAR
En Joan presenta l'Anna (la seva xicota) a en Quim i a en Ton (amics d'en Joan).

EN UNA OFICINA
El Sr. Creus (cap de l'oficina) presenta el Sr. Jordà i el Sr. Llofriu (clients) a la Sra. Arisa.

AL CARRER
En Martí i la Laura es troben la Mercè (amiga). Fa molt temps que no es veuen. La Mercè presenta en Daniel (el seu xicot) a en Martí i a la Laura.

A CASA
L'Albert presenta la Lluïsa (la seva mare) a l'Anna i a la Magda (amigues de l'Albert).

En grup. Presenteu els companys de grup. Després, canvieu de grup i presenteu-vos.

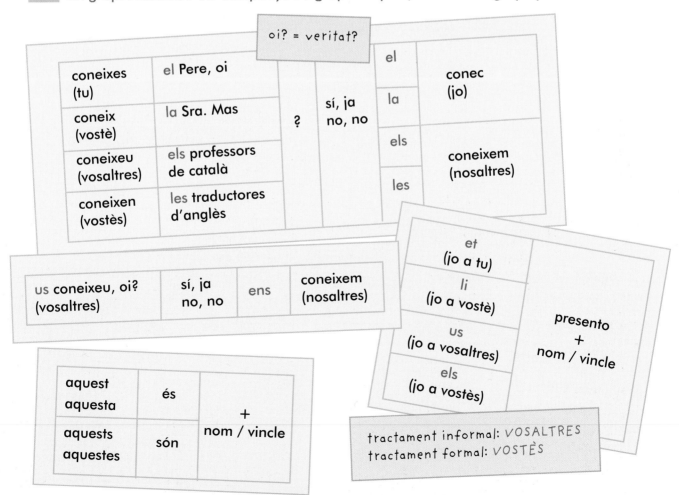

oi? = veritat?

coneixes (tu)	el Pere, oi			el	conec (jo)
coneix (vostè)	la Sra. Mas	?	sí, ja / no, no	la	
coneixeu (vosaltres)	els professors de català			els	coneixem (nosaltres)
coneixen (vostès)	les traductores d'anglès			les	

| us coneixeu, oi? (vosaltres) | sí, ja / no, no | ens | coneixem (nosaltres) |

et
(jo a tu)

li
(jo a vostè)

us
(jo a vosaltres)

els
(jo a vostès)

presento
+
nom / vincle

| aquest aquesta | és | + nom / vincle |
| aquests aquestes | són | |

tractament informal: VOSALTRES
tractament formal: VOSTÈS

D'aquí i d'allà

3 En grup. Feu una llista dels llocs de procedència i dels llocs on viuen els vostres companys. Quants de vosaltres sou del mateix lloc o viviu al mateix lloc? Canvieu de grup i intercanvieu la informació.

quant (temps) fa que...?
fa + quantitat de temps

ON VIUS?

VISC A VALÈNCIA. I TU?

A TORTOSA, PERÒ SÓC D'ALACANT.

QUANT TEMPS FA QUE VIUS A TORTOSA?

FA TRES ANYS.

La Caterina i la Xènia són de Formentera, però viuen a València.

PRESENT D'INDICATIU — VIURE

(jo) _____	visc
(tu) _____	vius
(ell, ella, vostè) ____	viu
(nosaltres) _____	vivim
(vosaltres) _____	viviu
(ells, elles, vostès) _	viuen

on ≠ d'on

a + Ø = a França, a París
a + el = al Japó
a + l' = a l'Índia, a l'Equador
a + la = a la Xina
a + els = als Estats Units
a + les = a les Filipines

4 Escolta les presentacions i marca amb una creu les dades que es donen de cada personatge. Escriu les preguntes per obtenir la informació.

PRESENT D'INDICATIU
SABER
sé
saps
sap
sabem
sabeu
saben

que...? sí / no

	1	2	3	4	5	6
Nom						
Edat						
Nacionalitat						
Residència						
Idiomes						
Professió						

(Que) saps

com es diu el senyor argentí?
?
?
?
?
?

5 En grup. Els coneixeu? Sabeu qui són? Demaneu i doneu informació sobre aquests personatges. Feu servir les preguntes de l'activitat anterior.

No ho sé.

Jo tampoc.

No me'n recordo.

PRESENT D'INDICATIU				
DIR-SE	**SER**	**TENIR**	**PARLAR**	**FER**
em dic	sóc	tinc	parlo	faig
et dius	ets	tens	parles	fas
es diu	és	té	parla	fa
ens diem	som	tenim	parlem	fem
us dieu	sou	teniu	parleu	feu
es diuen	són	tenen	parlen	fan

Escriu la informació que tens de tres persones de la classe, sense escriure'n el nom, i pregunta als teus companys si saben qui són.

Que maco!

6 Escolta i marca quins personatges es descriuen i com són.

❏ maca
❏ alta
❏ rossa
❏ prima

❏ grassa
❏ maca
❏ baixa
❏ morena

❏ lleig
❏ alt
❏ gras
❏ moreno

❏ alta
❏ lletja
❏ rossa
❏ prima

❏ rossos
❏ lletjos
❏ baixos
❏ grassos

gras – grassa – grassos – grasses
prim – prima – prims – primes
alt – alta – alts – altes
baix – baixa – baixos – baixes
ros – rossa – rossos – rosses
moreno – morena – morenos – morenes
maco – maca – macos – maques
lleig – lletja – lletjos – lletges

7 En parelles. Tria tres personatges. La teva parella els ha d'endevinar fent
preguntes de resposta sí o no.

Que és ros?

Sí.

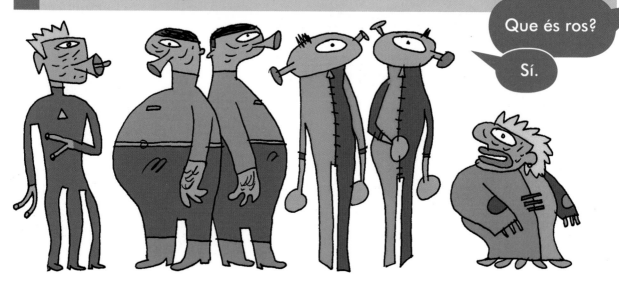

8 En parelles. Llegeix el correu electrònic. Mira les il·lustracions i tria la que la Rosa adjunta al correu.

Envia:	Rosa
Per a:	Pere
Tema:	Això és fantàstic!!

Hola, Pere. Què hi ha?

El Marroc és fantàstic. És un país molt maco. De moment t'envio la foto del grup. Ja pots veure que hi ha persones de tot arreu. És un grup molt simpàtic. En John, el noi baix, és anglès, de Cambridge, i només parla anglès. Ja saps com són els anglesos! En Patrick és irlandès, de Dublín i és el xicot d'en John. La Isabella i en Marco són italians. Tenen 34 i 37 anys i parlen català perquè tenen amics a Barcelona. Són molt agradables. Viuen a Bolonya, però són venecians. La Vedrana, la noia rossa, és de Dubrovnik i té dues filles bessones, la Nora i la Sandra, que també són rosses. Tenen 8 anys. La noia alta és la Pilar. És de Granada i és molt simpàtica. Parla una mica d'àrab perquè estudia filologia àrab. I el noi del centre és en Mfaddel, el guia. És marroquí, de Casablanca. Oi que és maco? Té 28 anys com jo i parla àrab, francès, espanyol i una mica de català: «Visca el Barça», «Barcelona és bona si la bossa sona» i aquestes coses... I és tan simpàtic! A mi ja em coneixes, oi?

Un petó,

Rosa

Una mica de geografia. A quins països corresponen les ciutats que apareixen al correu electrònic?

Catalunya, un país de trobada

9 Llegeix la informació sobre la família de l'Asha i completa la fitxa.

Aquests d'aquí són els meus avis, en Michael i l'Eva. L'avi és alemany i té 75 anys. L'àvia és txeca i en té 72. Viuen a Sant Pere de Ribes. Entre ells parlen alemany, però amb mi parlen català. Tenen dos fills: en Markus, el meu oncle, i en Pavel, el meu pare.

aquí ≠ allà

Aquells d'allà són els meus pares. En Pavel, el meu pare, i la Clara, la meva mare. Oi que són macos? La meva mare és més jove que el meu pare. Té 38 anys. És catalana, d'Igualada. És professora de música. El meu pare és advocat.

I jo sóc aquesta d'aquí. Aquesta noia tan maca. Em dic Asha i sóc de l'Índia. Tinc 11 anys i visc a Catalunya des de fa 9 anys. La meva germana i jo som adoptades. Els meus pares, la meva germana i jo vivim a Tarragona.

Tots vivim a Catalunya i parlem moltes llengües: alemany, txec, francès, però la llengua comuna és el català, és clar! Ah, també parlem espanyol!

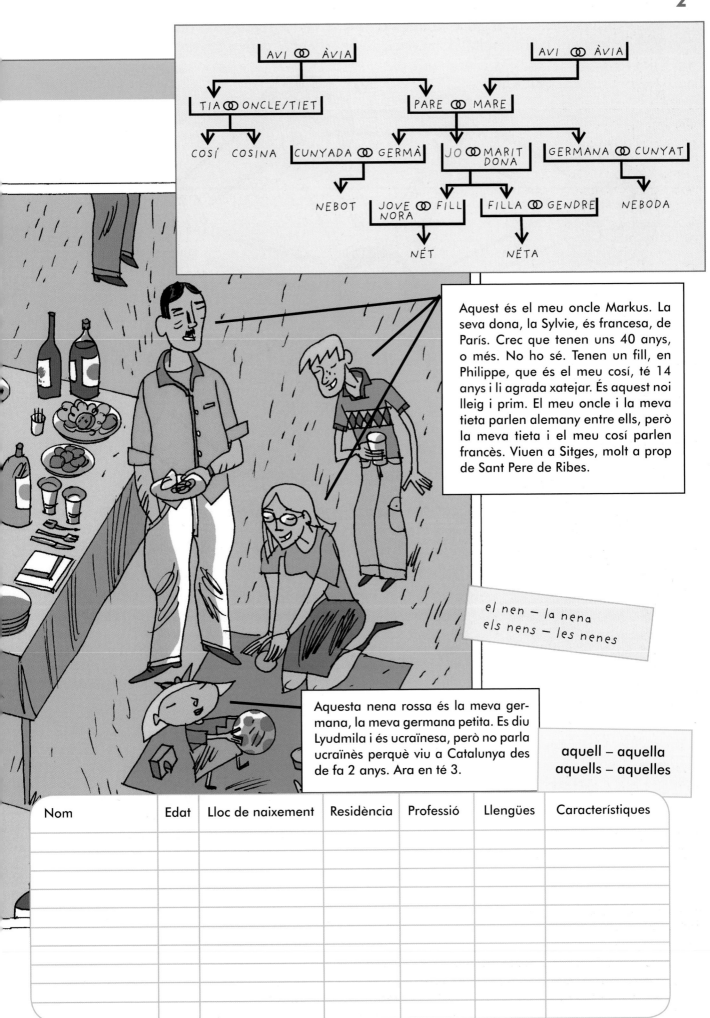

AVI ⊙⊙ ÀVIA — AVI ⊙⊙ ÀVIA

TIA ⊙⊙ ONCLE/TIET — PARE ⊙⊙ MARE

COSÍ   COSINA   CUNYADA ⊙⊙ GERMÀ   JO ⊙⊙ MARIT / DONA   GERMANA ⊙⊙ CUNYAT

NEBOT   JOVE / NORA ⊙⊙ FILL   FILLA ⊙⊙ GENDRE   NEBODA

NÉT   NÉTA

Aquest és el meu oncle Markus. La seva dona, la Sylvie, és francesa, de París. Crec que tenen uns 40 anys, o més. No ho sé. Tenen un fill, en Philippe, que és el meu cosí, té 14 anys i li agrada xatejar. És aquest noi lleig i prim. El meu oncle i la meva tieta parlen alemany entre ells, però la meva tieta i el meu cosí parlen francès. Viuen a Sitges, molt a prop de Sant Pere de Ribes.

el nen – la nena
els nens – les nenes

Aquesta nena rossa és la meva germana, la meva germana petita. Es diu Lyudmila i és ucraïnesa, però no parla ucraïnès perquè viu a Catalunya des de fa 2 anys. Ara en té 3.

aquell – aquella
aquells – aquelles

Nom	Edat	Lloc de naixement	Residència	Professió	Llengües	Característiques

En parelles. Qui és qui a la família de l'Asha? Digues quina relació de parentiu tenen entre ells i amb l'Asha, i escriu el parentiu, com a l'exemple.

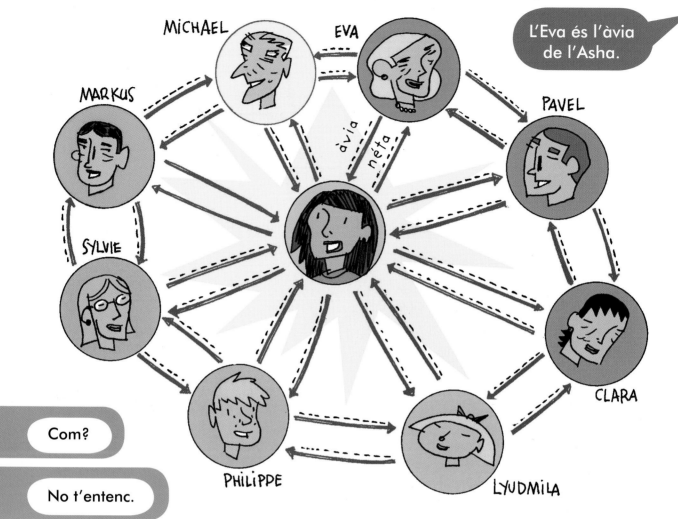

MICHAEL

EVA

> L'Eva és l'àvia de l'Asha.

MARKUS

PAVEL

àvia

néta

SYLVIE

CLARA

> Com?

> No t'entenc.

PHILIPPE

LYUDMILA

En parelles. Creus que la família de l'Asha és la típica família catalana? S'assembla a les famílies del teu país? Explica com és una família típica del teu país.

En parelles. Explica com és la teva família. Pren notes de la informació que et dóna la teva parella i escriu un text, com el de l'Asha, sobre la seva família. Si necessites més informació, demana-la-hi.

> Quants germans tens?

> Quantes nebodes tens?

SINGULAR		PLURAL	
MASCULÍ	FEMENÍ	MASCULÍ	FEMENÍ
el meu	la meva	els meus	les meves
el teu	la teva	els teus	les teves
el seu	la seva	els seus	les seves
el nostre	la nostra	els nostres	les nostres
el vostre	la vostra	els vostres	les vostres
el seu	la seva	els seus	les seves

la seva mare	(d'en Xavier, de la Maria)
el seu pare	

Famílies nombroses o fills únics?

avi – àvia – avis – àvies
pare – mare – pares – mares
marit / home – dona – marits / homes – dones
oncle / tiet – tia / tieta – oncles / tiets – ties / tietes
germà – germana – germans – germanes
cunyat – cunyada – cunyats – cunyades
cosí – cosina – cosins – cosines
fill – filla – fills – filles
gendre – jove / nora – gendres – joves / nores
nebot – neboda – nebots – nebodes
nét – néta – néts – nétes
sogre – sogra – sogres

FILLS I GERMANS...
gran - grans
mitjà – mitjana – mitjans – mitjanes
petit – petita – petits – petites

tiet – tieta
nebot – neboda

10 Fes preguntes als teus companys per obtenir la informació següent.

- Qui té l'avi o l'àvia més gran.
- Qui és fill petit.
- Qui té més nebots.
- Qui té més oncles i ties.
- Qui té més fills.
- Qui és fill únic.
- Qui té més cosins.
- Qui té més germans.
- Qui és fill gran.

Quants anys té el teu avi?

Tens germans més petits?

Ah, sí?

no tinc cap germà, avi, tia...
= no en tinc cap = 0

Parlants i llengües

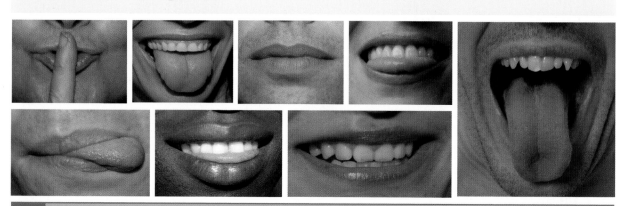

11 Llegeix el text.

Al món es parlen més de 5.000 llengües. El nombre de llengües repartides pels continents és el següent: Àfrica: 1.798, Amèrica: 573, Àsia: 1.445, Europa: 95, Oceania: 1.496. L'idioma més parlat és el xinès, que té mil dos-cents vint-i-tres milions quatre-cents tres mil parlants. A continuació hi ha l'anglès, amb tres-cents quaranta-un milions tres-cents vint mil parlants, i l'espanyol, amb tres-cents quaranta milions set-cents trenta-vuit mil parlants. El quart lloc l'ocupen l'hindi, l'urdú i el panjabi, amb dos-cents noranta-sis milions trenta-vuit mil parlants, i en cinquè lloc hi ha l'àrab, que té dos-cents quinze milions vuit-cents setanta-cinc mil parlants.

A Europa hi ha estats on es parla més d'una llengua com a l'Estat espanyol, on es parla espanyol, èuscar, gallec i català.

Escriu el nom del continent segons la quantitat de llengües que s'hi parlen.

Primer: Àfrica
Segon:
Tercer:
Quart:
Cinquè:

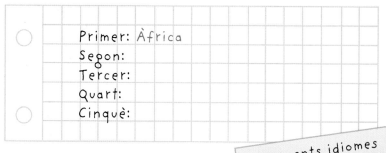

dos-cents idiomes
dues-centes llengües
tres-cents idiomes
tres-centes llengües

cent = 100
dos-cents = 200
tres-cents = 300
quatre-cents = 400
cinc-cents = 500
sis-cents = 600
set-cents = 700
vuit-cents = 800
nou-cents = 900
mil = 1000
dos mil = 2000
cent mil = 100.000
dos-cents mil = 200.000
cinc-cents mil /
mig milió = 500.000
un milió = 1.000.000
dos milions = 2.000.000

Completa el quadre.

Ordre	Llengua més parlada	Parlants
1	_____	1.223.403.000
2	anglès	_____
3	_____	_____
4	hindi, urdú i panjabi	296.038.000
5	_____	_____

Saps quants parlants hi ha de la teva llengua al món? Quina llengua té més parlants de totes les que parleu?

On és?

12 Llegeix les informacions i digues a quin dels dos països corresponen.

13 En grup. Sabeu què volen dir les paraules dels quadres? Busqueu-les al diccionari

GRATACEL
EDIFICI MOLT ALT
TAXI
ILLA
HABITANT
BARRI
AEROPORT
PARC
RIU
PLATJA
COTXE
PONT

En parelles. Què en saps, d'aquesta ciutat? Dóna tota la informació que en sàpigues. Fes servir el vocabulari dels quadres.

14 Escolta un fragment de reportatge sobre Nova York i completa el quadre.

ON ÉS NOVA YORK?

COM ÉS NOVA YORK?

QUE HI HA PLATJA?

Nova York	És a la costa est.	És la ciutat més poblada dels EUA.	Sí.
Manhattan			
Bronx			
Queens			
Brooklyn			
Staten Island			

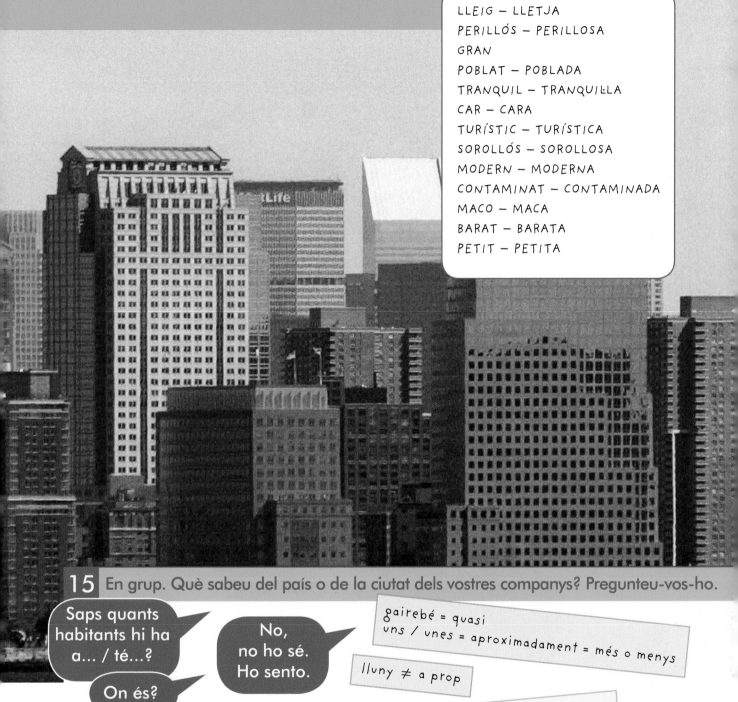

LLEIG — LLETJA
PERILLÓS — PERILLOSA
GRAN
POBLAT — POBLADA
TRANQUIL — TRANQUILLA
CAR — CARA
TURÍSTIC — TURÍSTICA
SOROLLÓS — SOROLLOSA
MODERN — MODERNA
CONTAMINAT — CONTAMINADA
MACO — MACA
BARAT — BARATA
PETIT — PETITA

15 En grup. Què sabeu del país o de la ciutat dels vostres companys? Pregunteu-vos-ho.

Saps quants habitants hi ha a... / té...?

No, no ho sé. Ho sento.

gairebé = quasi
uns / unes = aproximadament = més o menys

On és?

lluny ≠ a prop

Com és?

...el / la... més... de...
Praga és la ciutat més gran del país

16 En grup. Qui de vosaltres és de més lluny i qui, de més a prop d'on sou ara? Quin dels vostres països té més habitants i quin en té menys?

A quants quilòmetres més o menys d'aquí és el teu país / la teva ciutat?

El meu país / la meva ciutat és a uns...

És més lluny Gènova o Lisboa?

Els Països Catalans

17 En grup. A quina ciutat o ciutats del mapa corresponen aquestes informacions?

- No hi ha metro.
- És a la costa.
- És la ciutat que és més al nord.
- És la ciutat que és més al sud.
- És la ciutat que és més a l'oest.
- És la ciutat que és més a l'est.
- És al sud de Tarragona.
- És en una illa.
- Té menys de mig milió d'habitants.

Vols dir?
Segur?

- És la capital de les Illes Balears.
- Hi viuen molts anglesos i alemanys.
- Té platja.
- Té més d'un milió d'habitants.
- És molt tranquil·la.
- És molt sorollosa.
- És la ciutat que és més lluny dels Pirineus.
- És a prop d'Eivissa.

En grup. En sabeu més coses, d'aquestes ciutats? Teniu amics que viuen als Països Catalans? On? Dóna les seves dades.

18 Llegeix el text i fixa't en les paraules ressaltades (connectors).

a més = a més a més

APORTA MÉS INFORMACIÓ

És una ciutat que té 115.000 habitants, és la capital de la comarca i *també* és el centre demogràfic i econòmic més important de la Catalunya interior. *A més a més,* és una ciutat moderna, tranquil·la i no és perillosa. Té un riu, *però* no té platja. Hi ha molta gent jove *perquè* hi ha una universitat. No és una ciutat cara.

APORTA MÉS INFORMACIÓ

INTRODUEIX UN CONTRAST

INTRODUEIX UNA CAUSA

19 Busca informació sobre una ciutat o un poble del teu país o dels Països Catalans i escriu un text similar a l'anterior. Fes servir els connectors.

La família que enyoro

TASCA FINAL:

Llegeix el correu electrònic, escriu als buits els connectors: a més (a més), però, perquè i també, i completa les fitxes de les persones que en Javi enyora. Després contesta el correu electrònic, però no el signis. En grup. Barregeu els correus electrònics i endevineu qui en deu ser l'autor.

Envia:	Javi
Per a:	Sussi
Tema:	Trobo a faltar...

Hola, Sussi!

Com anem?

A l'últim correu em dius que vols saber qui són les persones que trobo a faltar més ara que visc aquí. Doncs les persones que enyoro més són els meus avis. Tinc moltes ganes de veure'ls. Et sorprèn? Els meus avis són els pares de la meva mare i són molt macos. Es diuen Rodolfo i Joaquina i viuen a Jaén, a Andalusia, _____ són d'Úbeda. Tenen 75 i 70 anys, _____ semblen més joves _____ són molt actius. A la meva àvia li agrada molt caminar i al meu avi li agrada jugar a la petanca. Viuen sols, però els meus germans, que _____ viuen a Jaén, els visiten sovint i _____ la meva neboda o sigui la seva besnéta, que té 2 anys, viu gairebé a casa seva. No treballen _____ estan jubilats. I com és Jaén? És al centre d'Andalusia. És una ciutat petita, _____ és la capital de la província. Té més de cent mil habitants, uns cent deu, crec. És la capital de província que té menys habitants d'Andalusia, i és molt maca: hi ha els banys àrabs més macos d'Espanya. _____, Úbeda i Baeza, que són dos pobles molt a prop de Jaén, són patrimoni de la humanitat.

Bé, ara ja ho saps. I tu, qui enyores? Escriu-me aviat i explica-m'ho.

Un petó,

Javi

Què hi has posat?

Nom

Parentiu

Edat

Professió

Nacionalitat

Residència

Aficions

Nom

Parentiu

Edat

Professió

Nacionalitat

Residència

Aficions

Informació sobre la ciutat on viuen

DE SOL A SOL

Horaris del món

Relaciona els textos amb les il·lustracions.

1. SÓN LES SIS DEL MATÍ A SAN FRAN-
CISCO. CADA DIA, EN WILLIAM ES LLEVA
AVIAT PERQUÈ COMENÇA A TREBALLAR
D'HORA, A LES 8, I PLEGA A LES 3.

2. SÓN LES DOTZE DEL MIGDIA A PARÍS. EN
JEAN ESTÀ DINANT EN UN RESTAURANT
QUE HI HA A PROP DE LA FEINA.

3. ÉS UN QUART DE SET DEL MATÍ AL
JAPÓ. LA TOMOKO NORMALMENT ES
LLEVA MOLT D'HORA PERQUÈ PREPARA
L'ESMORZAR DELS SEUS FILLS.

4. SÓN DOS QUARTS D'ONZE DEL MATÍ
A MADRID. DE DILLUNS A DIVENDRES,
L'ALMUDENA ESMORZA EN UNA CAFE-
TERIA QUE HI HA A PROP DE L'OFICINA
ON TREBALLA. GAIREBÉ SEMPRE MENJA
UN ENTREPÀ I PREN UN CAFÈ.

5. SÓN LES 8 DEL VESPRE A CASABLANCA.
EN MOHAMED ÉS CUINER. TREBALLA
ALS VESPRES EN UN RESTAURANT. A
VEGADES PLEGA TARD, A LES ONZE O A
LES DOTZE DE LA NIT.

TASCA FINAL: Fer un test per conèixer com és una persona segons els seus hàbits quotidians

LES PARTS DEL DIA

EL MATÍ   EL MIGDIA   LA TARDA   EL VESPRE   LA NIT   LA MATINADA

Al matí o a la nit?

1 En grup. Escolteu els diferents sons i relacioneu-los amb una il·lustració.
Després llegiu els verbs i busqueu al diccionari els que no conegueu.

LLEVAR-SE

DUTXAR-SE

ESMORZAR

TREBALLAR

ESTUDIAR

LLEGIR

ESCOLTAR MÚSICA

SORTIR

ANAR AL CINE

ANAR-SE'N A DORMIR

FER LA MIGDIADA

FUMAR

De totes aquestes activitats, marca quines fas normalment.

2 Escriu les accions de l'activitat anterior que s'acostumen a fer a les diverses parts del dia.

a + el = al matí
a + el = al migdia
a + la = a la tarda
a + el = al vespre
a + la = a la nit
a + la = a la matinada

AL MATÍ: llevar-se...

AL MIGDIA:

A LA TARDA:

AL VESPRE:

A LA NIT:

A LA MATINADA:

En parelles. Explica què fas en cada part del dia. Qui fa més activitats al matí i qui en fa més a la nit?

Què fas al matí?

(Al matí) em llevo, em dutxo, esmorzo…

PRESENT D'INDICATIU

ESMORZAR	LLEVAR-SE
esmorzo	em llevo
esmorzes	et lleves
esmorza	es lleva
esmorzem	ens llevem
esmorzeu	us lleveu
esmorzen	es lleven

VENIR
vinc
véns
ve
venim
veniu
vénen

FER	ESCRIURE
faig	escric
fas	escrius
fa	escriu
fem	escrivim
feu	escriviu
fan	escriuen

ANAR	ANAR-SE'N
vaig	me'n vaig
vas	te'n vas
va	se'n va
anem	ens en anem
aneu	us en aneu
van	se'n van

SORTIR	LLEGIR
surto	llegeixo
surts	llegeixes
surt	llegeix
sortim	llegim
sortiu	llegiu
surten	llegeixen

anar-se'n = marxar

anar-se'n a… → allà
anar a…

venir amb…

ME'N VAIG. ADÉU!

DONCS JO ME'N VAIG A DORMIR.

VINC AMB TU.

Minut a minut

(és) la una
(són) les dues
(són) les cinc

(és) un quart de nou
(són) dos quarts de nou
(són) tres quarts de nou

quina hora és?
(és) la una
(és) un quart d'una ~~(de la una)~~

(són) les dotze i vint =
és un quart i cinc d'una

falten deu minuts per a les onze =
són tres quarts i cinc d'onze

3 Escolta els diàlegs i relaciona'ls amb els rellotges.

21.40 h

20.00 h

17.10 h

14.45 h

13.30 h

14.00 h

22.30 h

22.00 h

 Escriu les hores de l'activitat anterior en lletres segons les parts del dia.

DEL MATÍ

DEL MIGDIA

DE LA TARDA

DEL VESPRE

DE LA NIT

DE LA MATINADA

la / les + hora + del / de la + part del dia
les cinc de la tarda

A cada lloc, un horari diferent

4 Escolta l'entrevista a la família Peret i escriu les hores que s'hi diuen.

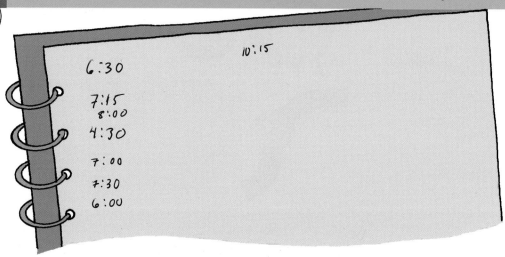

```
10:15
6:30
7:15
  8:00
4:30
7:00
7:30
6:00
```

En parelles. Llegeix les accions del quadre i busca el significat de les que no coneixes. Escolta un altre cop l'entrevista i marca amb una creu què diu que fa cada membre de la família.

ACCIONS	PARE	MARE	FILLA PETITA	FILLA MITJANA	AVI	ÀVIA	FILLA GRAN
anar a la piscina					/	/	
començar a treballar		/8:00					
dinar					/	/	
esmorzar	/	/	,		/	/	
fer l'esmorzar	/						
passejar					/	/	
plegar de l'escola			/				
plegar de l'institut				7:10			
quedar-se a casa							
rentar-se les dents			4:30				
sortir		/					/
tornar a casa				/			

COMENÇO!

PRESENT D'INDICATIU

COMENÇAR	PLEGAR	PASSEJAR
començo	plego	passejo
comences	plegues	passeges
comença	plega	passeja
comencem	pleguem	passegem
comenceu	plegueu	passegeu
comencen	pleguen	passegen

```
ja – jo – ju
ge – gi

ça – ço – çu
ce – ci

ga – go – gu
gue – gui
```

5 En parelles. Fas les mateixes coses cada dia? Explica a quina hora fas cada activitat i escriu les coincidències i les diferències entre tu i la teva parella.

En Hans es lleva a les set i jo, a dos quarts de vuit.

En Hans i jo esmorzem a les 9.

En Hans i jo no berenem.

En Hans no berena i jo, tampoc.

doncs: per introduir una resposta diferent d'una informació anterior

també / tampoc: per indicar coincidència, positiva o negativa, amb una informació anterior

normalment: per referir-nos a una activitat habitual

Diumenge, tancat

6 Escolta quins horaris fan els establiments i completa'ls.

Obert de ___8___ del matí a 9 del ___vespre___.
De dilluns a dissabte.

Obert des de les ___10___ fins a les 10 del vespre.

Obert de 8.15 a ___mati___.
___2:30___ i hivern: dijous tarda obert.

Obert de ___2___ a ___tarda___.
Primavera i _____: dissabte matí tancat.

Obert 24 hores.
De 9 a ___dues___ i de ___cinc___ a 20.

___Dilluns___ tancat.

> de ... a
> des de ... fins a

> **PRESENT D'INDICATIU**
>
> | OBRIR | TANCAR |
> |---|---|
> | obre | |
> | obren | tanca |
> | | tanquen |

> ca — co — cu
> que — qui

> dies feiners ≠ dies festius

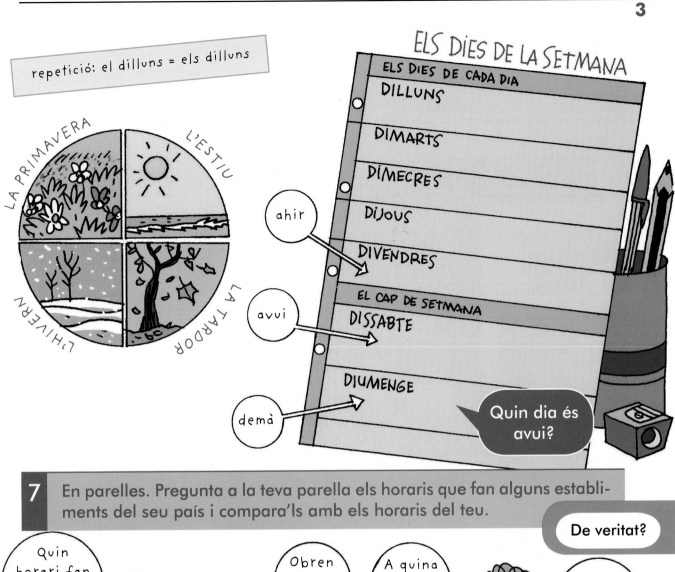

repetició: el dilluns = els dilluns

ELS DIES DE LA SETMANA

ELS DIES DE CADA DIA

- DILLUNS
- DIMARTS
- DIMECRES
- DIJOUS
- DIVENDRES

EL CAP DE SETMANA

- DISSABTE
- DIUMENGE

LA PRIMAVERA · L'ESTIU · LA TARDOR · L'HIVERN

ahir · avui · demà

Quin dia és avui?

---

7 En parelles. Pregunta a la teva parella els horaris que fan alguns establiments del seu país i compara'ls amb els horaris del teu.

De veritat?

Quin horari fan els bars al teu país?

Obren cada dia.

A quina hora obren?

Quin dia tanquen?

A Catalunya les pastisseries tanquen al migdia.

A França, també.

quin horari fa el supermercat?
quin horari fan al supermercat?

En grup. Són iguals els horaris a Catalunya que als vostres països? Comenteu-ho i comproveu quin país té els horaris més semblants als de Catalunya i quin té els horaris més diferents.

3

Què estan fent ara?

8 En parelles A i B. (A tapa el balneari de B, B tapa el balneari de A.)
Què estan fent els clients del balneari en aquests moments?

UN DIA AL BALNEARI

en aquest moment = ara

A

SRA. VALÈNCIA

SR. SERRA

SRS. LÓPEZ

ESTAR + gerundi	
DINAR, FER, LLEGIR	
estic estàs està estem esteu estan	dinant, fent, llegint

B

SRS. LÓPEZ

SRA. VALÈNCIA

SR. SERRA

SR. ROURE

SR. LLOPIS

SRA. GARCIA

SR. RIBÓ

SR. FIGUERES

ESTAR + gerundi	
DUTXAR-SE	
m'estic t'estàs s'està ens estem us esteu s'estan	dutxant

Quina hora és a...?

9 En parelles. Mira el mapa del món i contesta les preguntes. Digues què penses que estan fent la gent a cada lloc.

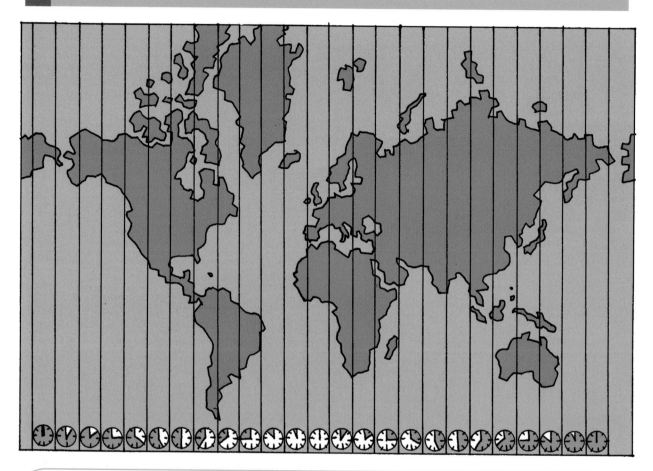

Si a Catalunya és la una del migdia, quina hora és a l'Índia? (Són) dos quarts de sis.

Si a França són les 2 del migdia, quina hora és al Japó?

Si a Colòmbia són les 5 de la tarda, quina hora és a Itàlia?

Si a Itàlia són les 8 del vespre, quina hora és a Nova York?

Si a Portugal és un quart d'11 de la nit, quina hora és a Egipte?

Si a Noruega són les 8 del matí, quina hora és al Marroc?

Si a l'Argentina són les 6 de la tarda, quina hora és a Madrid?

Què estan fent a l'Índia a les 6 del matí?

La majoria s'estan llevant.

Molta gent està treballant.

I al teu país o ciutat, quina hora és ara? Què està fent la gent? I els teus familiars i amics?

Suposo que...

Segur que...

Depèn...

A París són les 12. Suposo que molta gent està dinant, però els meus pares estan treballant i la meva germana segur que està parlant per telèfon amb les amigues.

Dues vides paral·leles

10 En parelles. Llegeix els textos i busca les coincidències i les diferències de la vida dels dos personatges.

Em llevo a les sis de la tarda. Encara fa calor. Abans de dutxar-me surto a veure la posta del sol. És la millor hora del dia. Quan acaba, entro a casa i bereno. Escolto, a la ràdio, les notícies del temps: calor. Si hi ha aigua, em dutxo i em rento les dents. Començo a treballar al vespre, a dos quarts de 9, arribo d'hora perquè treballo a casa. Treballo 5 hores. Faig un àpat fort, fumo un cigarret i escolto les notícies del temps: tot igual. Després, vaig a passejar, és de nit, tot tranquil. A les sis de la matinada torno a casa i treballo un parell d'horetes més. Menjo una mica i abans d'anar-me'n a dormir escolto les notícies del temps: continua la calor, com al migdia, com a la tarda. Sempre hi fa calor: a l'estiu, a la primavera, a la tardor i a l'hivern. Aquest temps m'agrada, per això treballo aquí, estic fent un estudi sobre el canvi climàtic. Enyorar...? El que enyoro més és el pa amb tomàquet!

Al matí, quan em llevo, miro la televisió: les notícies del temps. M'agrada veure que el temps no canvia. Abans d'esmorzar em dutxo, a les 7 en punt, com al meu país. A dos quarts i cinc de vuit esmorzo i, després d'esmorzar, començo a treballar, a dos quarts i sis minuts. Treballo a casa. Dino puntualment a les dues i, havent dinat, miro les notícies del temps. Comprovo que tot continua igual. No faig la migdiada per no arribar tard a la feina! Quan plego, a les 6 de la tarda, sopo, i havent sopat escric el meu diari. Abans d'anar-me'n a dormir miro les notícies del temps: fa fred, com al matí, com a la tarda. Sempre hi fa fred: a l'estiu, a la primavera, a la tardor i a l'hivern. No m'agraden els canvis, per això treballo aquí, estic fent un estudi sobre el canvi climàtic. No enyoro el meu país, però trobo a faltar una cosa: el pa amb tomàquet!

abans de ≠ després de
havent dinat = després de dinar
havent sopat = després de sopar
d'hora = aviat ≠ tard

Una catalana universal

11 En parelles. Coneixes les expressions del quadre? Llegeix l'entrevista i dedueix-ne el significat. Comprova que les has entès buscant al diccionari la traducció a la teva llengua. I tu, tens uns hàbits semblants als de la Carolina?

sempre

cada dia, nit...

sovint

de / a vegades

de tant en tant

alguna vegada

gairebé mai (no)

mai (no)

Es diu Carolina, té 25 anys, és d'Esparreguera i és la catalana més internacional. **Fa de model i treballa amb els dissenyadors més famosos del món. Viatja d'Esparreguera a Nova York i de Nova York al Japó cada setmana.**
Aprofitem que la Carolina ara és a casa, perquè està fent un anunci de promoció per a tot el món de les granges *Bon berenar,* per conèixer el secret del seu èxit.

Vostè que normalment treballa cada dia en un país diferent, a quina hora es lleva?

Doncs no ho sé, perquè sovint em llevo a ciutats diferents: un matí a Rio de Janeiro, l'altre matí a San Francisco, l'altre, a París... Canvio molt sovint de ciutat i no sé mai a quina hora em llevo ni a quina hora me'n vaig a dormir. Això sí, quan sóc a Esparreguera em llevo d'hora perquè la mama em prepara l'esmorzar: un entrepà amb fuet, que és el que m'agrada més.

Què vol dir...?

12 En grup. Completeu el quadre amb els noms dels vostres companys segons la freqüència amb què fan aquestes activitats.

	CADA DIA	SOVINT	A VEGADES	DE TANT EN TANT	GAIREBÉ MAI	MAI
llevar-se d'hora						
dutxar-se a la nit						
anar al cine						
anar a un restaurant						
fer esport						
parlar una llengua estrangera						
viatjar						
cuinar						
beure alcohol						
escriure cartes						
passejar						
berenar						
mirar la televisió						
dormir més de 8 hores						

Et lleves d'hora?

Cada dia em llevo a les 6.

Que vas sovint al cine?

No, només de tant en tant.

PRESENT D'INDICATIU

BEURE	PRENDRE
bec	prenc
beus	prens
beu	pren
bevem	prenem
beveu	preneu
beuen	prenen

un cop = una vegada
dos cops = dues vegades
a vegades = de vegades

I amb aquests horaris..., bé, que no sabem quins són, és difícil mantenir una dieta?

Sí que és difícil. Però sóc una persona que tinc molta voluntat. Quan em llevo, no sé mai on ni a quina hora, sempre, i dic sempre, esmorzo: cada dia, per esmorzar, menjo una pasta: una ensaïmada, un croissant o una magdalena, i bec un cafè amb llet. Això sempre, cada dia. I a vegades també prenc un suc de taronja, un iogurt i unes torrades, depèn del dia. Més tard dino. Sempre dino, cada dia, perquè per a mi és l'àpat més important del dia... I havent dinat faig la migdiada.

I també sopa?

I tant! I a més, a la tarda, a les sis o a dos quarts de set, bereno. No cada dia, però sovint: quatre o cinc vegades per setmana. I més tard sopo. Sopo cada vespre per-

què per a mi és el segon àpat més important del dia. Havent sopat prenc un cafè amb llet perquè m'ajuda a dormir bé. I de tant en tant bec una copeta d'aromes de Montserrat. Però només de tant en tant!

Fa exercici?

Exercici? Gairebé mai. Potser una vegada al mes passejo. És que no tinc temps perquè només faig exercici quan no menjo. I això no passa gairebé mai, perquè sempre menjo: sóc una model professional, jo!

I fuma?

Si fumo? Mai. No fumo mai! Per a les models la salut és molt important.

I de tant en tant fa règim?

Règim? Mai, mai, mai. Sóc una model professional i he de mantenir la talla.

En parelles de grups diferents, explica què fa cada persona del teu grup i amb quina freqüència.

En Toni cada dia es lleva d'hora, gairebé mai es dutxa a la nit...

Ets presumit?

13 Subratlla les paraules que tinguin alguna cosa a veure amb l'aspecte físic.

TENYIR-SE ELS CABELLS

ESMORZAR

RENTAR-SE LES DENTS

RENTAR-SE LA CARA

MAQUILLAR-SE

DUTXAR-SE

COMENÇAR A TREBALLAR

BERENAR

AFAITAR-SE

DINAR

SOPAR

PINTAR-SE

SORTIR

PENTINAR-SE

FUMAR

LLEGIR

FER LA MIGDIADA

ESCRIURE

ARREGLAR-SE

VESTIR-SE

TREBALLAR

BANYAR-SE

PRESENT
D'INDICATIU

ARREGLAR-SE

m'arreglo
t'arregles
s'arregla
ens arreglem
us arregleu
s'arreglen

14 En grup. A l'activitat anterior hi ha verbs que es conjuguen com **dutxar-se,** d'altres com **arreglar-se** i d'altres com **llegir.** Classifiqueu els verbs de la llista segons el model de conjugació. També podeu afegir-hi tots els altres verbs que han sortit a la unitat.

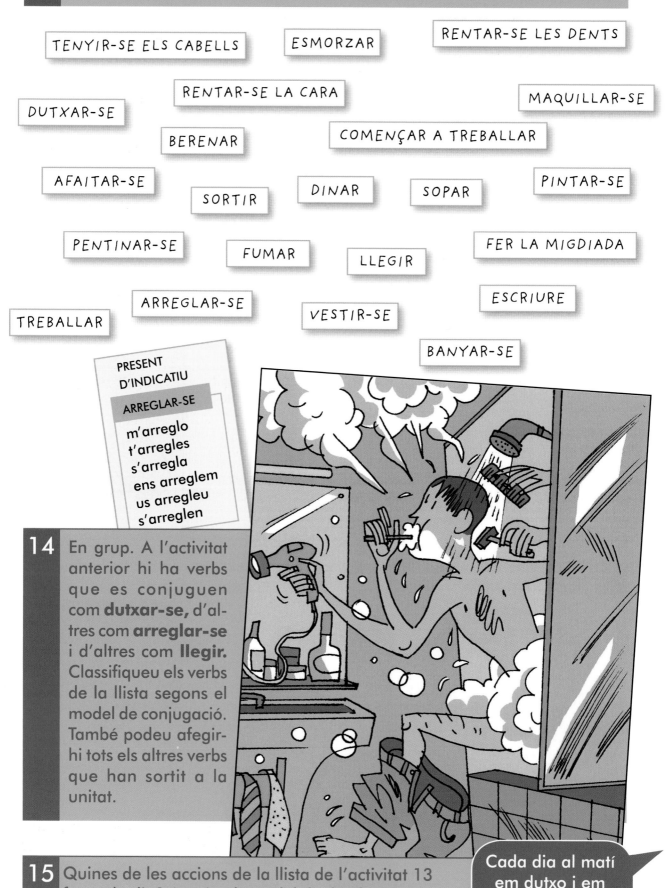

15 Quines de les accions de la llista de l'activitat 13 fas cada dia? A quina hora del dia les fas?

Cada dia al matí em dutxo i em rento les dents.

16 En parelles. Fes el test a la teva parella. Llegeix els resultats. Qui és la persona més presumida?

TEST

1. Quan et lleves al matí...
   a) Et dutxes i et vesteixes abans d'esmorzar.
   b) Primer esmorzes i, a vegades, et dutxes.
   c) Et rentes la cara, esmorzes i te'n vas.

2. Abans de sortir de casa...
   a) Et pentines cada dia.
   b) Et pentines si tens temps.
   c) No et pentines mai.

3. Quantes vegades t'afaites / et maquilles?
   a) Molt sovint. A casa, a la feina...
   b) De tant en tant, quan tens un sopar o una celebració.
   c) Mai.

4. Et tenyeixes els cabells?
   a) Molt sovint.
   b) De tant en tant.
   c) Mai.

5. Et rentes la cara...
   a) Cada dia, quan et lleves i abans d'anar-te'n a dormir.
   b) De tant en tant, quan tens calor.
   c) Mai. Només quan et dutxes.

6. Quan surts a sopar a un restaurant...
   a) Tornes a casa i t'arregles abans de sortir.
   b) T'arregles al matí perquè no tornes a casa.
   c) No et vesteixes d'una manera especial.

7. Quants cops et rentes les dents?
   a) Tres cops al dia: al matí, havent dinat i havent sopat.
   b) Al matí i abans d'anar-te'n a dormir.
   c) Només abans d'anar-te'n a dormir.

8. Fas esport?
   a) Cada dia vas al gimnàs i dos cops per setmana nedes.
   b) De tant en tant vas al gimnàs o passeges.
   c) Sí, sempre mires els esports a la televisió.

9. Fas la migdiada?
   a) De tant en tant, sobretot quan estàs cansat.
   b) Sovint, sobretot si estàs mirant la tele havent dinat.
   c) Sempre. És que tens molta son havent dinat!

10. Controles la dieta?
    a) Sí, menges poc i només coses sanes.
    b) No, però intentes no menjar gaire i beure poc alcohol.
    c) No, menges de tot i molt.

RESULTATS

Si tens de 5 a 10 marques a l'opció **a**, ets presumit i et preocupes per la teva imatge i salut, però vigila, que rentar-se sovint no és bo.

Si tens de 5 a 10 marques a l'opció **b**, ets una persona preocupada per la teva imatge i salut, però controla't.

Si tens de 5 a 10 marques a l'opció **c**, canvia els hàbits i preocupa't més per la teva salut. L'aigua no fa mal.

Que què?

TASCA FINAL: En grup. Voleu saber com són els vostres companys segons els seus hàbits? Elaboreu un test similar a l'anterior per saber si són: golafres, tocatardans, estalviadors, garrepes... Feu-lo contestar, valoreu-lo i presenteu els resultats a la resta de la classe.

A CASA MEVA O A CASA TEVA?

Qui viu en aquests edificis?

Llegeix les frases i digues amb qui viu la persona que les diu.

Comparteixo el pis amb dos amics del meu poble. Ens agrada molt sortir, estudiem poc i tenim el pis una mica brut, la veritat.

Visc amb sis persones del meu país. No tenim rentadora ni internet, per això anem, dues vegades a la setmana, a una bugaderia que té connexió a internet.

Casa meva té un jardí de 1000 m2 i un garatge per a 4 cotxes. Està bé, no em puc queixar. Tenim una senyora que viu amb nosaltres i fa la feina de casa.

Negociar, decidir i justificar quines cases o quins pisos són més adequats per fer-hi alguna cosa

OBJECTIUS I CONTINGUTS	APRENDREM A	• Dir on viu algú • Descriure l'habitatge i l'entorn • Explicar qui són i com són els veïns	• Explicar qui fa les feines domèstiques • Fer comparacions • Manifestar una tria i justificar-la
	I FAREM SERVIR	• Expressions locatives: entrant, sortint, a la dreta, al fons, a sota...; a la dreta hi ha..., el bany és a... • Interrogatius: a quin... • Numerals ordinals • Possessius: casa meva • Present d'indicatiu: tenir, viure, estar-se, ser, haver-hi	• Pronoms febles: hi, en, ho • Adjectius per descriure persones • Noms d'adreces i de parts d'un habitatge • Noms i adjectius per indicar característiques i entorn d'un habitatge • Verbs que indiquen accions de feines domèstiques

El meu pis és un quart sense ascensor a la part vella, però és molt maco. Per a la nena i per a mi és ideal, la terrassa és petita però hi tinc moltes flors. La gata hi dorm. Jo treballo a casa.

Ara tenim una caseta aparellada amb zona comunitària i piscina, per als nens està molt bé: molt millor que abans a la ciutat. Ja coneixem alguns veïns. També tenim una hipoteca: és de 30 anys!

Adreces postals i electròniques

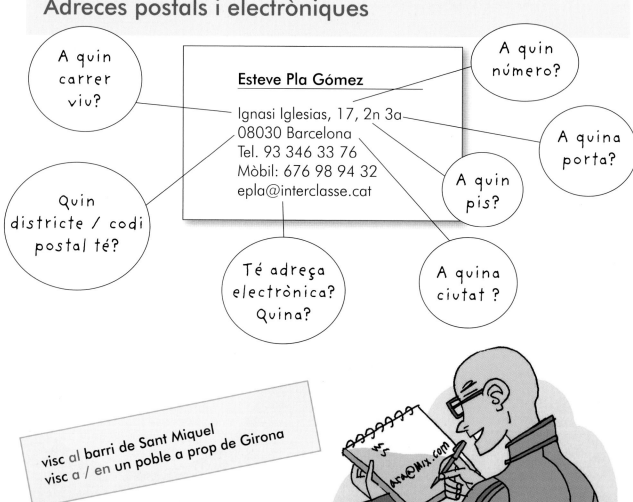

A quin carrer viu?

A quin número?

Esteve Pla Gómez

Ignasi Iglesias, 17, 2n 3a
08030 Barcelona
Tel. 93 346 33 76
Mòbil: 676 98 94 32
epla@interclasse.cat

A quina porta?

Quin districte / codi postal té?

A quin pis?

Té adreça electrònica? Quina?

A quina ciutat?

visc al barri de Sant Miquel
visc a / en un poble a prop de Girona

1 Fes la llista de les adreces (postals i electròniques) d'alguns dels teus companys de classe. Busca una parella i acaba de completar-la.

On vius? / Quina adreça tens?

Visc al carrer... / La meva adreça és: carrer Marquès de Sentmenat, 59...

Quina és la teva adreça electrònica?

Apunta: teresaredo@yahoo.net

teresaredo, tot junt, amb minúscula i sense accent, arrova, yahoo (y grega, a, hac, o, o), punt, net

Tens l'adreça de la Rachel?

Sí. Viu a Barcelona, al carrer Finestrelles...

Quina és la seva adreça electrònica?

És rachelm3@coldmail.com

2 En parelles A i B. (A tapa el quadre de B, B tapa el quadre de A.) Demana la informació que necessites per completar el teu quadre.

A

	ciutat	carrer	número	pis	porta	telèfon
en Pere	Reus			3r		977 16 15 37
el Joan		Bonavista			5a	
la Lluïsa	Granollers		69			643 28 75 30
l'Enric i la Salut		De la Riereta	56	2n	3a	

PRESENT D'INDICATIU

ESTAR-SE

m'estic
t'estàs
s'està
ens estem
us esteu
s'estan

CARRER	PIS	PORTA
carrer (c.) plaça (pl.) avinguda (av.) rambla (rbla.) passeig (pg.) ronda (rda.)	baixos (bxs.) entresòl (entl.) principal (pral.) primer (1r) segon (2n) tercer (3r) quart (4t) cinquè (5è)... àtic (àt.)	primera (1a) segona (2a) tercera (3a) quarta (4a) cinquena (5a)...

estar-se = viure

Ara et toca a tu.

Com s'escriu?

B

	ciutat	carrer	número	pis	porta	telèfon
en Pere		Roger de Flor	28		1a	
el Joan	Badalona		155	4t		93 389 25 49
la Lluïsa		Avinguda de Palamós		àtic	2a	
l'Enric i la Salut	Sant Feliu de Guíxols					972 56 28 73

Com és el teu pis?

3 | A quina part de la casa correspon cada paraula? Escriu el número al plànol.

1. L'ENTRADA (f) / EL REBEDOR
2. EL CORREDOR / EL PASSADÍS
3. LA CUINA
4. EL SAFAREIG
5. LA GALERIA
6. EL MENJADOR
7. LA SALA D'ESTAR

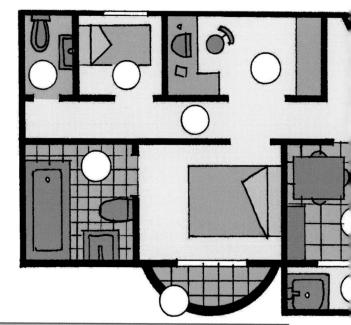

4 | En parelles. Explica què hi ha al pis de l'activitat anterior.

Què hi ha en aquest pis?

En aquest pis hi ha...

un bany – una habitació
dos banys – dues habitacions

Quantes habitacions té / hi ha?

Aquest pis té..., però no té...

També...

A més (a més),...

Això és el menjador i això és la cuina.

Caram, quin pis!

En parelles. I a casa teva, què hi ha? Dibuixa'n el plànol i explica'l a la teva parella.

Ostres, que maco!

Doncs a casa meva hi ha...

casa	meva teva seva nostra vostra seva

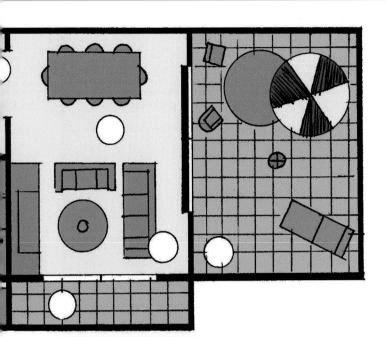

8. EL DORMITORI / L'HABITACIÓ (f)

9. L'ESTUDI (m)

10. EL LAVABO

11. EL BANY

12. LA TERRASSA

13. EL BALCÓ

5 L'Anna és una noia de Mataró que busca un pis de lloguer a Barcelona. Ha penjat un anunci a la facultat on estudia. Escolta els missatges que ha rebut i completa el quadre.

Jove universitària busca pis de lloguer a prop de la plaça Universitat.
Tel.: 93 792 42 73
Anna Garcia

93 792 42 73 · 93 792 42 73 · 93 792 42 73 · 93 792 42 73 · 93 792 42 73 · 93 792 42 73 · 93 792 42 73 · 93 792 42 73 · 93 792 42 73 · 93 792 42 73 · 93 792 42 73

	pis 1	pis 2	pis 3	pis 4
carrer			Rector Triadó	
pis				1r
nombre d'habitacions		1		
telèfon	647 88 32 34			
altres informacions				

Quin és el millor pis per a aquesta noia? Per què?

6 Llegeix les descripcions dels pisos i digues a quin plànol correspon cadascuna.

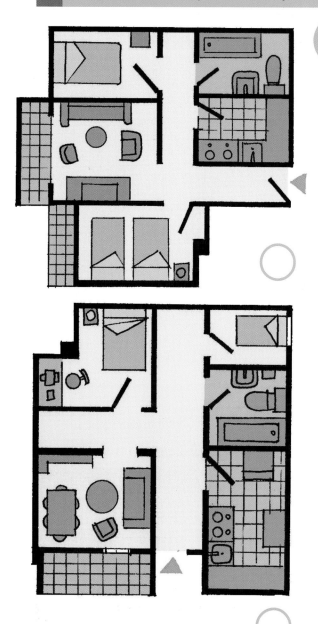

A

El meu pis no és ni gran ni petit, però per a nosaltres dos i el gos està bé. Fa 90m². Hi ha dues habitacions i l'estudi d'en Jordi. També hi ha una cuina petitona, un menjador bastant gran, un bany i un lavabo petit. Ja dic que el menjador és gran, però es veu molt ple perquè hi ha el meu ordinador, tots els meus llibres i tota la col·lecció de CD d'en Jordi. Quan entres al pis hi ha un passadís que fa una L a la dreta. Entrant a la dreta hi ha la cuina i a l'esquerra, un lavabo petit. Quan gires pel passadís, a la dreta, hi ha les dues habitacions: una per a nosaltres i una altra per als convidats i per a la planxa, i a l'esquerra, l'estudi d'en Jordi, amb la bateria i tot l'equip de música, i el menjador.

Al fons del passadís hi ha el bany. És una planta baixa i per això tenim un pati amb plantes i la caseta del gos.

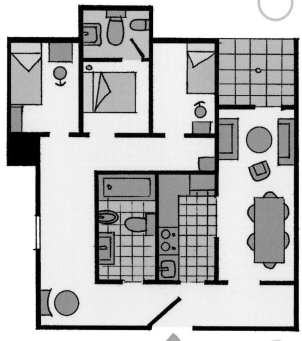

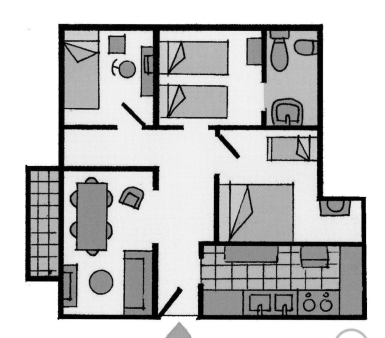

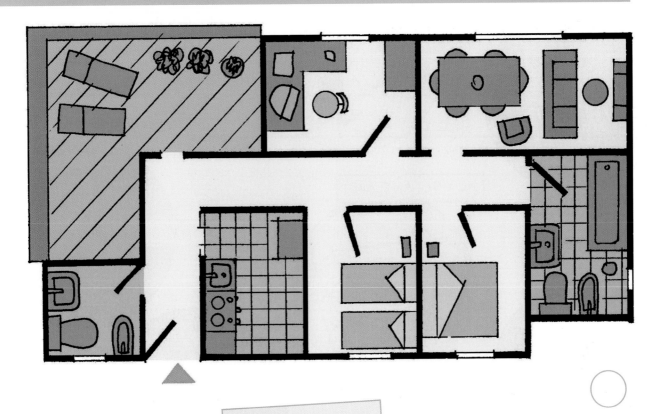

B

l'altre bany
l'altra habitació

És un pis de mida mitjana: 80m². No és gran, però m'agrada molt. Quan entres pots anar a la dreta o a l'esquerra. El menjador és a la dreta i la cuina és davant de la porta d'entrada i està connectada amb el menjador. Les habitacions són a l'esquerra, al final d'un corredor curtet al voltant d'un distribuïdor. N'hi ha tres: una per a nosaltres, que és la del mig; una per al nen, a l'esquerra, i l'altra per a la nena, a la dreta. El bany gran és al costat de la cuina, davant de la porta d'entrada, una mica a l'esquerra. El bany petit és a dintre de la nostra habitació.
Tenim un pati petit: s'hi surt pel menjador.

hi ha **un bany**
hi ha **dos banys**

7 Subratlla les formes **hi ha, és** o **són** a les descripcions anteriors. Fixa't en aquestes estructures i com funcionen.

la cuina les habitacions	és són	al fons del passadís a l'esquerra
al fons del passadís a l'esquerra	hi ha	la cuina les habitacions una habitació

ENTRANT

SORTINT

(AL) DARRERE (DE)

AL VOLTANT (DE)

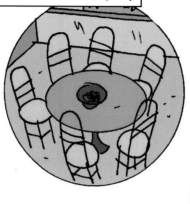

AL FONS (DE)

A LA DRETA (DE) = A MÀ DRETA

A L'ESQUERRA (DE) = A MÀ ESQUERRA

---

8 Escolta dues converses de persones que busquen pis i marca a quin anunci correspon el pis que s'hi descriu.

cal. = calefacció
a/c = aire condicionat
asc. = ascensor
m2 = metres quadrats
hab. = habitació

CONVERSA **1**

Busquem persona per compartir pis.
Barri del Raval. Reformat. Moblat. Cal.
Preu: 200 € (més despeses).
Tel.: 93 412 55 79. Pregunteu pel Toni.

Busquem persona per
compartir pis. Barri del Raval.
Reformat. Asc.
Preu: 220 € (més despeses).
Tel.: 93 412 55 79.
Pregunteu pel Toni.

Busquem persona per compartir pis.
Barri del Raval.
Moblat. Asc. A/C. Cal.
Preu: 200 euros (més despeses).
Tel.: 93 412 55 79.
Pregunteu pel Toni.

Quant val / costa?

És car / barat?

Quant pagues de lloguer?

ENTRE .... i ....

(AL) DAVANT (DE)

AL COSTAT (DE)

(A) DINS (DE) = (A) DINTRE (DE)

A BAIX (DE)

(A) FORA (DE)

A DALT (DE)

CONVERSA ②

IMMOBILIÀRIES

LLOGUERS

Pisos

Ref. 117
GRANOLLERS CENTRE
Pis de 76 m², 3 hab.,
cuina equipada, bany,
saló-menjador, a/c i cal.,
reformat, assolellat.
Preu: 900 €
Tel.: 93 870 34 92

Ref. 117
GRANOLLERS CENTRE
Pis de 76 m², 2 hab.
abans 3, cuina equipada,
bany, saló-menjador, cal.,
asc., reformat, sense
mobles.
Preu: 900 €
Tel.: 93 870 34 92

Ref. 117
GRANOLLERS CENTRE
Pis de 76 m², 3 hab.,
cuina i bany reformats,
saló - menjador, cal., asc.,
moblat, assolellat.
Preu: 900 €
Tel.: 93 870 34 92

Locals

Doncs...

9 En parelles. Explica com és el teu pis. Amb la informació que et doni la teva parella, redacta un anunci perquè el pugui vendre o llogar. Pensa en el preu: a quin preu el vens / el llogues?

El mercat dels pisos

10 Llegeix el text sobre com viuen els joves de Catalunya.

Trobar un pis: un maldecap amb solucions per als joves

Tots ho sabem: marxar de casa cada vegada és més complicat. Trobar un pis o una casa on viure per als nostres joves no és gens fàcil.

L'últim informe *Els joves catalans i l'habitatge* diu que més de la meitat dels joves catalans d'entre 20 i 34 anys (fins a un 58%) encara viuen a la casa familiar i, en canvi, el 42% estan emancipats. D'aquests, la majoria, el 32%, viuen amb la seva primera parella estable (casats o no) i, molt pocs, el 10%, sols o amb altres companys.

També s'informa que la mitjana d'edat dels joves quan marxen de casa a viure sols és al voltant dels 28-29 anys.

Hi ha diversos factors que provoquen aquesta situació, però el més important és la dificultat de trobar un habitatge adequat a les necessitats dels joves i a les seves possibilitats econòmiques. Els pisos de lloguer tenen uns preus impossibles i pràcticament no n'hi ha. Per comprar (aquí tothom vol comprar per allò de «vas pagant però al final és teu») normalment necessites hipoteques de 30 o 40 anys. I, ja se sap, per obtenir una hipoteca s'ha de tenir una feina estable o l'ajuda dels pares (un 11,5% dels pares ajuden els fills, sobretot quan es casen). Tot això és normal, ja que la gent, en general a Catalunya, dedica un 66,9% dels seus ingressos a les despeses d'habitatge, i a la zona de Barcelona, un 82,4%!!!

El Govern català fa propostes per ajudar els joves a trobar pis:

-Els joves viuen en una casa vella sense pagar lloguer, però han de mantenir-la o arreglar-la.

-Els joves comparteixen casa amb persones grans i, a canvi d'això, els ajuden en la seva vida quotidiana (anar a comprar, al metge...).

-Es dóna als joves pisos amb lloguers molt baixos, però només hi poden viure durant dos anys; així, mentrestant, poden estalviar.

En parelles. Busca el significat de les paraules.

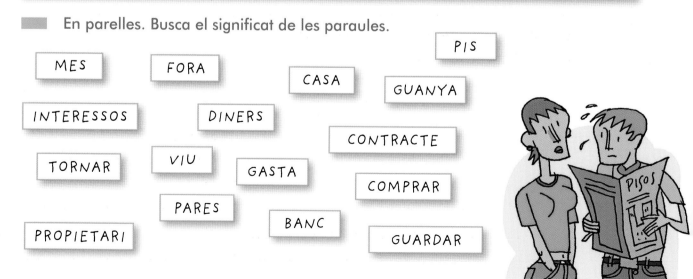

MES — FORA — PIS — CASA — GUANYA — INTERESSOS — DINERS — CONTRACTE — TORNAR — VIU — GASTA — COMPRAR — PARES — BANC — PROPIETARI — GUARDAR

████ Completa les definicions amb les paraules de l'activitat anterior.

HABITATGE: lloc on _____ algú.

HIPOTECA: quantitat de _____ que avança un _____

per poder_____ un _____ o una _____,

però que després has de _____ amb _____

INGRESSOS: són els diners que _____ algú.

DESPESES: són els diners que _____ algú.

LLOGUER: és un _____ segons el qual algú paga uns diners cada _____

al _____ d'un pis per poder viure-hi.

EMANCIPAT: jove que viu _____ de la casa dels seus _____.

ESTALVIAR: _____ una part dels diners que algú guanya.

████ Completa el quadre amb preguntes o respostes segons la informació del text.

percentatge = tant per cent = %

66,9%: un seixanta-sis coma nou per cent

Quin percentatge de joves viu a casa dels pares?	
Quin percentatge de joves viu amb la parella?	
	Un 10%.
	Un 11,5%.
	28-29 anys.
De quants anys són les hipoteques que fan els joves?	

11 En parelles. Compara la informació del text de l'activitat 10 amb la d'altres llocs o països que coneixes. Explica quina és la teva situació referent a aquest tema.

12 En parelles. Escriu les preguntes corresponents a la informació de la primera columna. Fes servir els verbs **viure, estar-se, ser, tenir** i **haver-hi.**

habitació = dormitori

a prop = a la vora

en té...

en + té = en té
en + hi ha = n'hi ha
n' ≠ no

INFORMACIÓ	PREGUNTA
Al centre / Als afores	
Barri	
Metres quadrats	Quants metres quadrats fa el teu pis?
Nombre d'habitacions	
Calefacció, aire condicionat	
Terrassa, jardí, pati	
Metro a prop	
Línies d'autobusos a prop	
Botigues, bars i restaurants a prop	
Sol	Hi toca el sol?
Clar / Fosc	
Ascensor	
Distribució de l'espai	
Tranquil / Soroll	
Satisfacció amb el pis	És maco? T'agrada? És acollidor?

TENS PÀRQUING?

SÍ QUE EN TINC. / NO, NO EN TINC.

A CASA TEVA HI HA ASCENSOR?

SÍ, SÍ QUE N'HI HA. / NO, NO N'HI HA.

ÉS TRANQUIL?

SÍ, HO ÉS MOLT.

La gent jove comparteix pis amb altres joves?

Sí, com aquí. / No tant com aquí. / Més que aquí.

És difícil per als joves trobar pis?

està	bé ≠ malament ben ≠ mal comunicat / distribuït

és maco ≠ és lleig

Quant val / costa un pis de compra de 90 m² al teu país?

VERB EN SINGULAR	VERB EN PLURAL
tothom cap dels entrevistats (no) ningú (no)	tots els entrevistats alguns entrevistats molts dels entrevistats vint-i-quatre persones
la gent la majoria dels entrevistats (gairebé) la meitat dels entrevistats el 90% dels joves	

Quant pagues al mes per un pis de lloguer de 90 m² al teu país?

val = costa

Depèn del barri / de l'estat del pis / però aproximadament / més o menys ... € (al mes).

Tria quatre preguntes i fes-les als companys de classe. Fes un resum del resultat.

LA MAJORIA DELS MEUS COMPANYS VIUEN AL CENTRE, PERÒ N'HI HA TRES QUE S'ESTAN ALS AFORES.

UN 70% DELS MEUS COMPANYS TENEN TERRASSA. CAP D'ELLS NO TÉ AIRE CONDICIONAT.

LA MEITAT TENEN PISOS AMB MOLTA LLUM I L'ALTRA MEITAT TENEN PISOS FOSCOS.

Que bé!

Quina sort!

Quins veïns!

13 En parelles. Explica qui són, i on viuen els teus veïns perquè la teva parella pugui fer un dibuix de l'edifici on vius. Fixa't en el model.

	de dalt (de tot)	
el veí / la veïna	de baix (de tot)	és...
	de sobre	
	de sota	
els veïns / les veïnes	de davant	són...
	del costat	

a dalt (de tot) / a baix (de tot)
a sobre / a sota
(a / al) davant
al costat

al pis	de dalt de baix de sobre de sota de davant del costat

hi viu... / hi ha...

al meu replà / carrer

hi: expressió de lloc

la Pepa viu *al tercer pis* = la Pepa *hi* viu
la Pepa viu al tercer pis = al tercer pis(,) *hi* viu la Pepa
la Pepa *hi ~~viu~~* al tercer pis

hi ha: verb HAVER-HI
al tercer pis hi ha la Pepa

Com són els teus veïns? Quina nota de l'1 al 10 els donaries? Comenta-ho amb els teus companys.

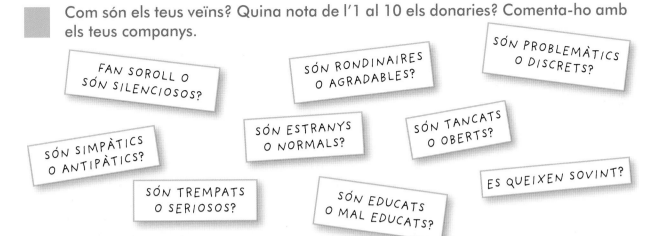

FAN SOROLL O SÓN SILENCIOSOS?

SÓN RONDINAIRES O AGRADABLES?

SÓN PROBLEMÀTICS O DISCRETS?

SÓN SIMPÀTICS O ANTIPÀTICS?

SÓN ESTRANYS O NORMALS?

SÓN TANCATS O OBERTS?

SÓN TREMPATS O SERIOSOS?

SÓN EDUCATS O MAL EDUCATS?

ES QUEIXEN SOVINT?

14 Escolta el text i completa'l amb els noms de persona .... i amb els indicadors de lloc _____ que hi falten.

Els veïns de la meva escala

A la meva escala hi ha veïns de tota mena.
_____, mai no hi ha la mateixa gent: és un pis de llo-guer, sempre hi ha estrangers que s'hi estan dues o tres setmanes, arriben amb moltes maletes i se'n van. _____ hi viu una parella amb una nena de deu anys, ell és el president de l'escala, en ...., i el coneixem molt, és molt agradable.

_____, al cinquè, hi viuen dues famílies: a la segona porta, una pare-lla gran que ja no té els fills a casa, la .... i el ...., i al davant, a sota del president, una parella amb els seus dos fills. Em sembla que són professors de la universitat. A sota, al 4t 1a, no hi viu ningú, és un pis buit des de fa molt de temps, em sembla que no hi ha ni mobles, i _____ del matrimoni gran hi ha un noi que co-neixem fa poquet, en ....: és molt tímid. Crec que ara ja no viu sol, perquè sempre entra i surt amb un altre xicot, em sembla que són parella. A sota hi ha una noia que té dues filles: .... i ...., em sembla que es diuen. Ara tampoc no s'està sola, també hi viu la seva parella, en ...., que té un nen pe-titó que ve alguns caps de setmana. Deu ser la primavera! Davant hi ha la senyora .... amb la seva germana més jove, són grans però molt valentes: hivern i estiu, cada dia de l'any, van a la platja a nedar una mica. Al pis _____ nostre hi ha un xicot, l'......... ...., que està separat i que té els nens de tant en tant, un cap de setmana sí i un cap de setmana no, els dimecres a la tarda... Són uns bessons maquíssims, l'.................. i el ...., que van a la classe del meu fill.

Al primer segona hi vivim nosaltres i al pis del davant, al mateix replà que nosaltres, hi ha tres noies de Puigcerdà que comparteixen el pis: em sembla que el propietari és el pare d'una d'elles. Són simpàtiques i, per ser estudiants, no fan gaire soroll, no ens podem queixar: una es diu .... i les altres no ho sé. _____, a sota nostre hi ha un banc i, _____, un restaurant xinès. Ah! Ja no me'n recor-dava, al 2n, davant del pare dels bessons, hi ha un despatx d'advocats.

15 Dibuixa l'edifici i digues qui hi viu o què hi ha a cada pis i a cada porta segons el text anterior.

Com t'organitzes a casa?

16 En parelles. Entrevista la teva parella per saber cada quant i qui fa les feines següents a casa seva.

EL TEU COMPANY DE PIS /
LA TEVA COMPANYA DE PIS /
LA SENYORA DE FER FEINES / EL TEU PARE /
LA TEVA MARE / EL TEU XICOT /
LA TEVA XICOTA / EL TEU MARIT /
LA TEVA DONA...

CADA DIA / UNA VEGADA
AL DIA / DUES VEGADES AL DIA /
UN COP PER SETMANA / DOS COPS
PER SETMANA...

	QUI FA TOT AIXÒ A CASA TEVA?	CADA QUANT?	T'AGRADA?
ANAR A COMPRAR			
FER EL DINAR I EL SOPAR			
RENTAR ELS PLATS			
NETEJAR EL LAVABO / LA CUINA			
ESCOMBRAR O PASSAR L'ASPIRADORA			
FREGAR			
ENDREÇAR			

MÉS AVIAT ENDREÇAT

MÉS AVIAT DESENDREÇAT

MÉS AVIAT NET

MÉS AVIAT BRUT

Decideix quin tipus de persona és la teva parella de classe segons les seves respostes a les qüestions del quadre.

	Tipus A	**Tipus B**	**Tipus C**	**Tipus D**
Tinc el pis / Sóc	molt net	més aviat net	més aviat brut	molt brut
Tinc el pis / Sóc	molt endreçat	més aviat endreçat	més aviat desendreçat	molt desendreçat
Sempre tinc la nevera	plena	força plena	més aviat buida	buida
En la feina de la casa sóc	molt organitzat	més aviat organitzat	més aviat desorganitzat	molt desorganitzat
La feina de casa	m'agrada molt	m'agrada força	no m'agrada gaire	no m'agrada gens
Dedico a la feina de casa	més de tres hores diàries	entre tres i dues hores diàries	entre dues i una hora diària	menys d'una hora diària

TASCA FINAL: En grup. A partir de la informació recollida a la unitat, trieu entre tots els pisos dels companys de classe el lloc més adequat per:

- celebrar-hi el cap d'any,
- celebrar-hi la revetlla de Sant Joan,
- anar-hi a preparar un examen / un treball,
- instal·lar-hi uns amics estrangers que volen fer turisme durant un parell de setmanes, o
- instal·lar-hi els pares d'algú per Nadal.

Justifiqueu la vostra tria tenint en compte els factors que hi ha al text model.

> Ah, molt bé!

> Doncs jo no hi estic d'acord!

On viu?

Què hi ha a la vora de casa seva?

Com és el pis?

El millor lloc per celebrar-hi el cap d'any és a casa d'en Jules, que viu al centre i té molts bars a prop de casa per anar a fer una copa després del sopar. Té un pis molt gran, sobretot el menjador; hi ha dos banys i una cuina molt maca. Els seus veïns no es queixen mai del soroll, són molt discrets. A més el pis està ben comunicat i té ascensor. Li agrada cuinar: sempre ho fa ell. És un noi organitzat, que escombra i frega cada dia.

Com són els seus veïns?

Què hi ha? Què té?

Com s'organitza la feina de casa?

LA NOSTRA HISTÒRIA

Què va passar?

Relaciona les fotografies de la Cristina i en Salvatore amb les frases.

5

7

4

1

TASCA FINAL: Explicar l'experiència d'una persona que va canviar de país o ciutat

OBJECTIUS I CONTINGUTS	**APRENDREM A**	• Intercanviar informació personal sobre fets passats • Relacionar fets del passat amb l'experiència personal • Expressar sentiments i estats d'ànim • Explicar com són les persones segons el seu signe zodiacal	
	I FAREM SERVIR	• Expressions temporals: quan, al cap de, l'any, quant fa que... • Imperfet d'indicatiu • Interrogatius: quan, quant, per què • Passat perifràstic d'indicatiu • Pronoms febles: em, et, es, ens, us (davant i darrere del verb)	• Quantificadors: molt, força, bastant, una mica, gaire, gens • Adjectius per indicar el caràcter de les persones • Noms dels mesos de l'any i dels signes del zodíac • Verbs que indiquen experiències personals i sentiments

ENGINYERIA INDUSTRIAL

○ Vaig venir a Catalunya el novembre de 2004, perquè em van donar una beca.

○ El juliol de 1981 vaig arribar a Barcelona amb els meus pares.

○ Vaig néixer a Ourense el 9 de març de 1980.

○ Vaig començar a treballar de professor d'italià el 2006.

○ Vaig fer un curs d'italià l'any 2006.

○ Vaig començar a anar a l'escola el setembre de 1983.

○ Vam anar de viatge de noces a Grècia l'any 2008.

○ Ens vam casar el 16 d'octubre de 2008.

1 Coneixes aquests personatges? Escolta i completa la informació.

Els últims néts de Floquet de Neu van néixer al zoo de Barcelona el 26 d'agost de 2004.
El Floquet de Neu va morir a Barcelona _____.

FLOQUET DE NEU

ELS PETS

Van néixer a Constantí _____.
El seu disc «Agost» va arribar a les botigues _____.

HANS GAMPER

Va néixer a Winterthur _____ va fundar el Futbol Club Barcelona.

SALVADOR DALÍ

Va néixer a Figueres _____.
Va morir _____.

PAU GASOL

Va néixer a Sant Boi de Llobregat _____ va fitxar per a un equip de la NBA.

2 Fes un pòster per recordar quan és l'aniversari de les persones de la classe.
Escriu-hi els noms, les dates de naixement i els anys que fan o que van fer.

Noms	Dates de naixement	Anys que fan / que van fer

fer = complir

QUANTS ANYS FAS?

L'1 DE MARÇ FAIG 20 ANYS.

QUAN VAS NÉIXER?

L'11 DE MAIG DE 1985. I TU?

JO, L'1 DE JULIOL.

DE QUIN ANY?

JO, EL 27 DE GENER EN VAIG FER 19.

DEL 88.

l'1
l'11

d' abril
agost
octubre

de / del 1985
del 85

gener
febrer
març
abril
maig
juny
juliol
agost
setembre
octubre
novembre
desembre

PASSAT PERIFRÀSTIC D'INDICATIU

	NÉIXER, FER, COMPLIR
vaig	
vas	
va	+ infinitiu
vam	
vau	
van	

1950: mil nou-cents cinquanta
1975: mil nou-cents setanta-cinc
2003: dos mil tres
2010: dos mil deu

De quin signe ets?

3 En grup. Decidiu dues o tres característiques típiques de cada signe.

Com són els aquaris?

Són tranquils.

Doncs la meva germana és aquari i no ho és.

àries
del 21 de març
al 20 d'abril

taure
del 21 d'abril
al 20 de maig

bessons o gèminis
del 21 de maig
al 20 de juny

**balança
libra**
del 23 de setembre
al 22 d'octubre

**escorpí
escorpió**
del 23 d'octubre
al 21 de novembre

sagitari
del 22 de novembre
al 20 de desembre

Penso que són...

Sí. És veritat.

Vols dir?

Em sembla que no.

cregut	creguda	creguts	cregudes
nerviós	nerviosa	nerviosos	nervioses
sincer	sincera	sincers	sinceres
tímid	tímida	tímids	tímides
tossut	tossuda	tossuts	tossudes
tranquil	tranquil·la	tranquils	tranquil·les
amable		amables	
constant		constants	
idealista		idealistes	
independent		independents	
intel·ligent		intel·ligents	
irritable		irritables	
optimista		optimistes	
pessimista		pessimistes	
responsable		responsables	
sensible		sensibles	

cranc o càncer
del 21 de juny
al 22 de juliol

lleó
del 23 de juliol
al 22 d'agost

verge
del 23 d'agost
al 22 de setembre

capricorn
del 21 de desembre
al 20 de gener

aquari
del 21 de gener
al 19 de febrer

peixos
del 20 de febrer
al 20 de març

4 En grup. Mireu d'endevinar de quin signe són els companys d'un altre grup segons el seu caràcter. Després ajunteu-vos amb un altre grup i comenteu les vostres decisions. Penseu que són persones típiques del seu signe?

Vides curioses

5 En parelles. Quins d'aquests fets van passar a Marilyn Monroe i quins a Salvador Dalí.

NO VA CONÈIXER EL SEU PARE.

ES VA CASAR DUES VEGADES AMB LA MATEIXA PERSONA.

ALS 20 ANYS VA PASSAR 35 DIES A LA PRESÓ.

ERA UNA PERSONA TÍMIDA I NERVIOSA.

A PARTIR DELS SET ANYS NO VA VIURE AMB LA SEVA FAMÍLIA.

VA TENIR MOLTS AMANTS.

EL SEU SIGNE DE L'HORÒSCOP ERA BESSONS.

ALS 25 ANYS VA CONÈIXER LA PERSONA MÉS IMPORTANT DE LA SEVA VIDA.

EL SEU SIGNE DE L'HORÒSCOP ERA TAURE.

ES VA CASAR PER PRIMERA VEGADA ALS 16 ANYS.

I tu, què hi dius?

Què us sembla?

Potser sí / no.

ERA UNA PERSONA INTEL·LIGENT, PERÒ CREGUDA.

No pot ser.

6 En grup. Escriviu dues frases sobre la vostra vida, una informació és veritable i l'altra és falsa. Cadascú llegeix les seves frases i els altres endevinen quines són veritables i quines, no.

Segur que és mentida / veritat.

Fem un concurs. Cada component d'un grup explica a la resta dels grups el que li ha dit el seu company, a l'activitat anterior. Els grups han de dir quines són les informacions veritables i quines són les falses. Es dóna un punt per encert.

PASSAT PERIFRÀSTIC D'INDICATIU

ENAMORAR-SE

em **vaig** enamorar	**vaig** enamorar-me
et **vas** enamorar	**vas** enamorar-te
es **va** enamorar	**va** enamorar-se
ens **vam** enamorar	**vam** enamorar-nos
us **vau** enamorar	**vau** enamorar-vos
es **van** enamorar	**van** enamorar-se

als tres anys
del 1972 al 1975
el 1967
l'any 1992
quan tenia / teníem
al cap de dos anys
ara

7 En grup. Llegiu el text i digueu quin any us sembla que va néixer la Gemma. Quins elements us han ajudat en la vostra decisió?

Hola, sóc la Gemma. Vaig néixer el 29 de febrer en un poble molt petit de la comarca d'Osona i, com tots els peixos, sóc idealista. Néixer el 29 de febrer, segurament, ja és un avís que la teva vida no serà del tot corrent. Voleu la veritat sobre la meva vida? Sí? Doncs mireu, la veritat és que encara sóc soltera, tot i que m'he enamorat moltes vegades. La primera vegada que em vaig enamorar va ser quan tenia 13 anys. Em vaig enamorar perdudament d'un veí que era fill d'un guàrdia civil, però em va durar poc. Els altres cops em va anar més bé i em va durar una mica més.

De petita, vaig estudiar al meu poble, però la meva obsessió sempre va ser poder anar a viure a Barcelona i, al final, ho vaig aconseguir; això sí, el preu que vaig pagar va ser estar-me dos anys en una residència de monges.

Al tercer any, vaig aconseguir anar a viure a un pis d'estudiants. En aquella època hi havia moltes manifestacions antifranquistes i, una vegada, em va detenir la policia, però al cap de 24 hores van deixar-me anar.

Quan feia la carrera vaig tenir una crisi d'estudis i vaig buscar feina. Vaig contestar un anunci per treballar al zoo de Barcelona com a cuidadora d'animals i em van agafar. En realitat els netejava i els donava el menjar. Hi vaig estar dos anys i me'n vaig cansar. Uns quants anys més tard, amb el meu xicot, que també era idealista, ens en vam anar a fer de *hippies* a Eivissa i allà van néixer els nostres fills: en Martí i en Pau.

Un dia, quan estava una mica cansada de la vida que feia, vaig comprar un número dels cecs... i em va tocar un premi...

En grup. Inventeu-vos el final de la història de la Gemma i expliqueu-lo als altres grups. Quin final us agrada més?

Canvis importants

8 Escolta aquest fragment d'una entrevista al Xavier, un músic d'un poble de Tarragona, i completa la informació.

Persones importants a la vida d'en Xavier i per què ho són.

Quan i on es van conèixer els components del grup.

Escriu algunes dates i llocs importants i explica per què ho són.

per què(?)
perquè...

9 En parelles. I a la teva vida quines persones, dates i llocs són importants? Escriu una data, un lloc i un nom importants a la teva vida. La teva parella ha d'endevinar què va passar. Tu només pots contestar sí o no.

10 Escriu un text, semblant al d'en Xavier, sobre la teva vida, amb les persones, dates i llocs més importants.

Situacions que acompanyen les nostres vides

11 En parelles. L'Emil, un noi de Romania, participa en un fòrum a Internet sobre immigració. Llegeix el text i completa el quadre.

<Emil:>

Em dic Emil i vaig néixer a Romania quan hi havia una dictadura. Em vaig casar molt jove, no teníem gaires diners i, amb la meva dona, vam anar a viure a casa dels meus pares. D'això ja fa molt temps!

Vam arribar a Catalunya l'any passat. Vam venir per conèixer un altre país i per buscar feina perquè a Romania no n'hi havia gaire. Primer no va ser gaire fàcil; no teníem ni feina ni pis i ens vam instal·lar a casa d'uns amics romanesos, a Barcelona. Ens vam enyorar molt perquè trobàvem a faltar els amics i la família i, a més, no podíem comunicar-nos perquè no parlàvem ni espanyol ni català. A Barcelona trobar feina era molt difícil i, al cap de dos mesos, vam decidir venir a viure a Girona. Fa tres mesos que hi vivim i ja tenim feina: la meva dona treballa d'investigadora a la universitat i jo treballo a l'hospital de Girona. Tot comença a anar més bé i com que a Girona gairebé tothom parla en català, ja l'entenc força.

l'any / el mes passat
la setmana passada

FET PASSAT, PUNTUAL I ACABAT EN UN TEMPS PASSAT I ACABAT (PASSAT PERIFRÀSTIC D'INDICATIU)	CIRCUMSTÀNCIA / CAUSA (IMPERFET D'INDICATIU)
Vaig néixer a Romania.	Hi havia una dictadura.
1	No teníem gaires diners.
2 Vam venir per buscar feina.	
3 Primer no va ser gaire fàcil.	
4 Ens vam enyorar molt.	
5	A Barcelona, trobar feina era molt difícil.

En parelles. Prepara les preguntes que faries a l'Emil, en una entrevista, per obtenir la informació anterior. Després compara les preguntes amb una altra parella.

On vas néixer?

Quin règim polític hi havia?

IMPERFET D'INDICATIU

PARLAR	PODER	TENIR	HAVER-HI
parlava	podia	tenia	
parlaves	podies	tenies	
parlava	podia	tenia	hi havia
parlàvem	podíem	teníem	
parlàveu	podíeu	teníeu	
parlaven	podien	tenien	

12 En grup. Què va passar? Relacioneu les dates amb els fets passats.

DIARI DEL MATÍ

Cau el mur de Berlín

CIÈNCIA

Neix l'ovella Dolly, el primer animal clonat

ÚLTIMA HORA

L'home arriba a la Lluna

ESPORTS

El Barça guanya a Roma la seva tercera copa d'Europa

hi va haver = va haver-hi

1969

1989

1997

2009

En grup. Com anem d'història? Escriviu un fet històric que considereu el més important del vostre país i tres dates. Pregunteu als vostres companys si saben quina és la data correcta.

13 En grup. Relacioneu la vostra vida, la d'algun familiar o amic, amb alguns dels fets anteriors i digueu què fèieu en aquell moment.

quan va néixer l'ovella Dolly, tenia 13 anys i estudiava a l'institut

quan tenia 13 anys i estudiava a l'institut, va néixer l'ovella Dolly

IMPERFET D'INDICATIU

SER	VIURE	FER
era	vivia	feia
eres	vivies	feies
era	vivia	feia
érem	vivíem	fèiem
éreu	vivíeu	fèieu
eren	vivien	feien

Recordo que...

No me'n recordo.

no hi era = no existia

14 Fem anar la imaginació. La meitat de la classe s'inventa la vida passada de les persones de la fotografia A, i l'altra meitat, la de la persona de la fotografia B. Després, prepara les preguntes d'una entrevista per conèixer la vida passada del personatge que han preparat els altres.

A

B

En parelles. Cada component d'un grup entrevista un component de l'altre grup. La informació que no tinguis te la pots inventar.

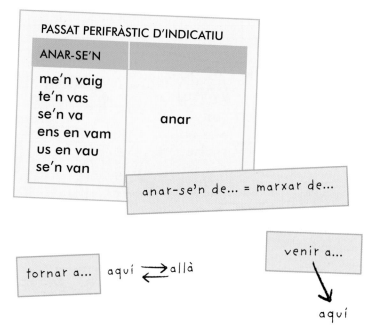

PASSAT PERIFRÀSTIC D'INDICATIU

ANAR-SE'N	
me'n vaig	
te'n vas	
se'n va	anar
ens en vam	
us en vau	
se'n van	

anar-se'n de... = marxar de...

tornar a... aquí ⇄ allà

venir a...
↓
aquí

15 En un programa sobre estrangers que viuen a Catalunya entrevisten dues noies. Escolta, completa el quadre i compara les experiències.

> Fa 4 anys que visc aquí. Visc aquí des del 1999.

2003

GABRIELA

SARA SU

en canvi

Quant (temps) fa que viuen aquí?		
Quant (temps) fa que van arribar?		
Per què van decidir venir?		
Com es van sentir al principi?		
Els va costar aprendre català?		
Com són?		

(Sí,)	molt	el català em va costar molt aprendre català va ser molt difícil
	força / bastant	el català em va costar força / bastant aprendre català va ser força / bastant difícil
	una mica	el català em va costar una mica aprendre català va ser una mica difícil
No...	gaire	el català no em va costar gaire aprendre català no va ser gaire difícil
	gens	el català no em va costar gens aprendre català no va ser gens difícil

		AGRADAR	COSTAR
(a mi)	em		
(a tu)	et		
(a ell, a ella, a vostè)	li	va agradar	va costar
(a nosaltres)	ens		
(a vosaltres)	us		
(a ells, a elles, a vostès)	els		

> ELS VA COSTAR APRENDRE CATALÀ?

CATALÀ

16 En grup. Per conèixer una mica més la vostra història, feu una enquesta als vostres companys i completeu els quadres. Quan tingueu la informació, expliqueu-la als altres grups.

NOMS	QUANT FA QUE VIUEN AQUÍ?	COM ES VAN SENTIR AL PRINCIPI?	PER QUÈ VAN DECIDIR VENIR?

Quant fa que
Quan | vas venir?

bé ≠ malament

Qui es va enyorar	molt	?	NOMS
	bastant		
	força		
	una mica		
Qui no es va enyorar	gaire		
	gens		

Experiències

17 En grups de tres. Llegiu cadascú un text diferent.

vaig tenir molts problemes
no vaig tenir gaires problemes
no vaig tenir cap problema

1

La meva àvia es diu Isabel, com jo, i té 74 anys. Va néixer a Múrcia, però des de molt petita va anar a viure a un poble de Granada. Va ser molt feliç allà, amb els seus amics i els seus pares. Quan va fer 21 anys, l'Adolfo, que és el meu avi, va anar al poble a fer una feina temporal i es van enamorar. Però, al cap d'un temps, al meu avi, li van oferir una feina a Barcelona i la va acceptar. Abans de venir a Catalunya es van casar.

Quan van arribar a Catalunya, van anar a viure a Santa Coloma de Gramenet. Van tenir moltes facilitats: feina i un pis que els va deixar un tiet de l'Adolfo. La meva àvia explica que, al principi, es va enyorar una mica de la família, però que no van tenir cap problema d'adaptació. La meva àvia és una persona molt optimista. Dos anys més tard va néixer la meva mare, que es diu Lorena, i, al cap de 3 anys, quan va néixer el meu oncle Lucas, van anar a viure a un altre lloc. Els meus avis, ara, estan molt bé a Catalunya.

2

Em dic Vilma, tinc 24 anys i vaig néixer a l'Equador. Fa quatre anys que vaig arribar a Catalunya. Vaig venir per treballar i ajudar la meva família a pagar l'escola dels meus germans. Vaig venir sola. Estava molt il·lusionada perquè era la primera vegada que viatjava amb avió a un país nou que no coneixia. Primer vaig viure a Vic, perquè treballava d'assistenta a casa d'una família vigatana. Els primers dies em vaig sentir força estranya perquè el menjar era diferent i, també, l'horari. A més, vaig arribar a l'hivern, el mes de febrer, i tot era molt trist. No va ser gens fàcil aprendre català, trobar feina, fer amics... Vaig trobar a faltar molt la meva família i estava molt trista. Però al cap de dos anys em vaig enamorar d'en Ramon i ens vam casar. Ara tinc dos fills, el Pol i el Robert. També tinc feina: faig de perruquera. Estic bé aquí.

3

Em dic Carmen, tinc 65 anys i vaig néixer a Extremadura. Quan tenia 25 anys i una filla de dos, el meu marit va decidir marxar a Alemanya, perquè hi havia més feina. Allà va treballar en una fàbrica i, com tots els seus amics, va estalviar molts diners. Set anys més tard, va decidir deixar Alemanya i venir a viure a Catalunya, al Prat de Llobregat, perquè tenia un germà que també hi vivia.

Al cap de pocs mesos vam venir la meva filla i jo. Jo tenia 32 anys. El viatge va anar bé, no vam tenir cap problema ni dificultat, però al cap d'un temps ens vam enyorar molt, perquè deixar la família és difícil. Al principi vam viure a casa del meu cunyat, fins que, amb els diners estalviats, vam comprar el pis on vivim ara. Vam tenir dos fills més i ens vam adaptar força bé, però cada estiu anem de vacances al poble. La veritat és que encara m'enyoro i penso que un dia vull tornar a viure a Extremadura.

En grups de tres. Completeu la fitxa amb les dades de la persona del text que heu llegit. Després llegiu-lo en veu alta perquè els companys puguin completar les fitxes.

	LA ISABEL	LA VILMA	LA CARMEN
On va néixer?			
Quants anys té?			
Quan va deixar el seu país (ciutat o poble)?			
Per què va deixar el seu país (ciutat o poble)?			
Amb qui va venir?			
Per què va triar el nou lloc per viure-hi?			
Com es va sentir al principi? Es va enyorar?			
On va anar a viure?			
Va ser fàcil l'adaptació?			
Quina és la seva situació actual?			
Com se sent ara?			

18 En parelles. Entrevista una persona del grup per conèixer el seu passat o el passat d'algú de la seva família (pares, avis...). Pots fer servir el guió.

On i quan va néixer?
Quan va deixar el seu país (ciutat, poble)?
Per què va deixar el seu país (ciutat, poble)?
Per què va triar el nou lloc per viure-hi?
Quant temps fa que va arribar?
Amb qui va venir?
Va ser difícil trobar feina, lloc per estudiar, pis...?
On va anar a viure?
Com es va sentir al principi?
Com se sent ara?
Quina és la seva situació actual?
Té ganes de tornar al seu país (ciutat, poble)?

TASCA FINAL:
Escriu la història de la persona entrevistada. Llegeix-la a la resta de la classe i comprova si hi ha vides paral·leles o anècdotes comunes.

QUINA GANA!

Cuina internacional

Un nom per a cada plat. Saps a quin lloc ets, si et serveixen aquests plats?

TASCA FINAL: **Elaborar un menú equilibrat, tenint en compte els gustos del grup**

OBJECTIUS I CONTINGUTS

APRENDREM A	
	• Intercanviar informació sobre menjars típics i hàbits alimentaris
	• Expressar gustos i preferències sobre menjars
	• Entendre i donar instruccions o consells sobre dietes
	• Entendre i produir els intercanvis lingüístics per comprar aliments: quantitat, qualitat...
	• Entendre i produir els intercanvis lingüístics necessaris en un restaurant

I FAREM SERVIR	
• Adjectius: gènere i nombre	• Pronoms febles: em, et, li, ens, us, el, la, els, les, en
• Imperatiu: posar, apuntar, comprar, dir, tenir, passar, deixar, escoltar, esperar	• Quantificadors: cap i gens
• Numerals: mig, dotzena...	• Adjectius que indiquen qualitats, colors i formes
• Perífrasi d'obligació en present d'indicatiu: s'ha de... / has de...	• Noms d'aliments, de plats, d'establiments alimentaris i de mesures
• Present d'indicatiu: preferir, voler, poder, estimar-se més, agradar	

CALDEIRADA
XUCRUT
ESCUDELLA
GUACAMOLE
MOROS Y CRISTIANOS
PABELLÓN CRIOLLO
ESPAGUETIS
SASHIMI
TILAPIA AMB VERDURES

CHOP SUEY
CUSCÚS
FONDUE
MUSSACA
PAELLA
ROSBIF
TIRA ASADA
KEFTA DE XAI

ALGUNS INGREDIENTS	
NOMS GENÈRICS	NOMS DELS PRODUCTES
peixos i mariscos	peix
verdures	col tomàquet alvocat albergínia ceba
carns vermelles, blanques i aus	bou vedella xai pollastre
làctics	formatge
cereals i derivats	espaguetis blat de moro arròs
llegums	llenties

1 En grup. Sabeu quins ingredients bàsics componen els plats anteriors? Intercanvieu-vos la informació de cada grup.

Quins altres plats típics coneixeu? D'on són? Quins ingredients bàsics hi ha? I de Catalunya, quins plats típics coneixeu? Busqueu les paraules que necessiteu al diccionari.

Quin és el plat més típic del teu país?

El pa amb tomàquet.

Què hi ha?

Pa, tomàquet, sal i oli.

Mmmmmmm!

2 En grup. Dels plats de l'activitat anterior o dels que heu dit vosaltres, quin us agrada més i quin us agrada menys. Per què?

Quin plat t'agrada més?

Per què?

El gaspatxo.

Perquè hi ha moltes verdures i a mi les verdures m'agraden molt.

A mi, no gaire.

Jo m'estimo més els llegums.

Doncs jo odio les verdures. No m'agraden gens. I a vosaltres, us agraden les verdures?

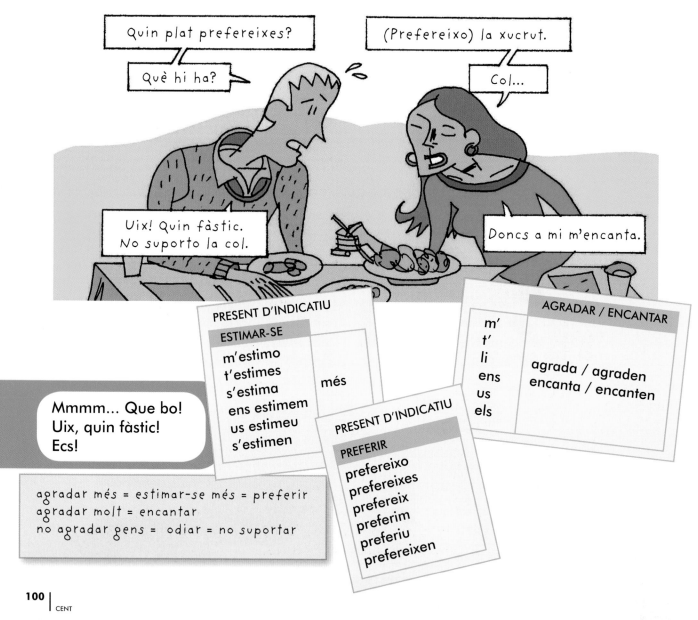

Quin plat prefereixes?

Què hi ha?

(Prefereixo) la xucrut.

Col...

Uix! Quin fàstic. No suporto la col.

Doncs a mi m'encanta.

Mmmm... Que bo!
Uix, quin fàstic!
Ecs!

PRESENT D'INDICATIU

ESTIMAR-SE

m'estimo
t'estimes
s'estima   més
ens estimem
us estimeu
s'estimen

AGRADAR / ENCANTAR

m'
t'
li
ens   agrada / agraden
us   encanta / encanten
els

PRESENT D'INDICATIU

PREFERIR

prefereixo
prefereixes
prefereix
preferim
preferiu
prefereixen

agradar més = estimar-se més = preferir
agradar molt = encantar
no agradar gens = odiar = no suportar

3 En parelles. Llegeix el text i explica a la teva parella els hàbits alimentaris del teu país. Després escriu un text, semblant al model, amb el que t'ha explicat la teva parella.

divulgació / pàg. 22

A Catalunya la majoria de la gent fem tres àpats. Per esmorzar no mengem gaire. Al migdia, cap a les dues o les tres, dinem i mengem força: primer plat, segon plat, postres i cafè o tallat; no prenem mai cafè amb llet! Al vespre, cap a la nit, sopem i també fem tres plats. La nostra dieta és a base de verdura, llegums, arròs, pasta, peix, carn... Prenem una mica de vi. Sempre cuinem i amanim amb oli d'oliva, que diuen que és molt sa. Potser per això les dones catalanes són, diuen, les que viuen més anys d'Europa.

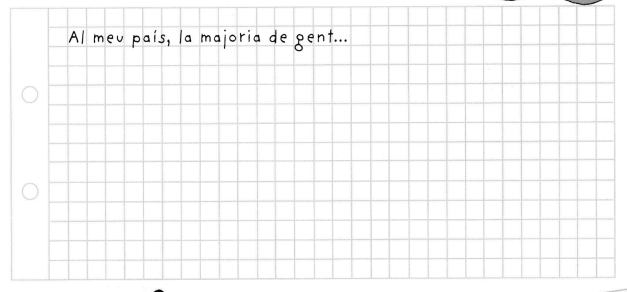

Al meu país, la majoria de gent...

tots	(ells)	fan
		fem
	(ells + jo = nosaltres)	fa / fan
la majoria de gent	(la majoria)	fem
	(la majoria + jo = nosaltres)	

En grup. Llegiu en veu alta els textos que heu fet i decidiu el país que té els hàbits alimentaris millors, segons les vostres preferències.

Mengem-nos els tòpics

4 En grup. A continuació teniu un text sobre el pes ideal, que s'ha desordenat. Si el poseu en ordre, podeu saber si una persona té el pes ideal o no.

EL PES IDEAL

a. Com podem saber si estem grassos o ens ho sembla? | 1

b. Índex = Pes (en quilos) / Alçada^2 (en metres)

c. però, si és 30, hi ha sobrepès; més de 30, obesitat, i, si és superior a 40, l'obesitat és perillosa,

d. La fórmula més utilitzada per veure si es té el pes adequat és l'anomenat índex de massa corporal, que relaciona el pes i l'alçada de la manera següent:

e. Si aquest índex és entre 20 i 25 en els homes i entre 19 i 24 en les dones, el pes és normal;

f. i, al contrari, si és menys de 19, s'està prim, i entre 18 i 15 hi pot haver perill per a la salut.

PES: 70 kg

MOLT PRIM / PRIMA 40 kg

SOBREPÈS (= OBESITAT) 120 kg

ALÇADA: 1,80 m

Això / Aquesta no sé on va.

Això / Aquesta frase (no) va aquí!

Això no lliga. Primer hi va... On ho / la posem?

En parelles. Calcula l'índex de massa corporal de les persones de les il·lustracions.

Una dieta equilibrada

5 En parelles. Mira els esquemes i pregunta a la teva parella què menja diàriament i si menja els aliments necessaris amb la freqüència recomanada.

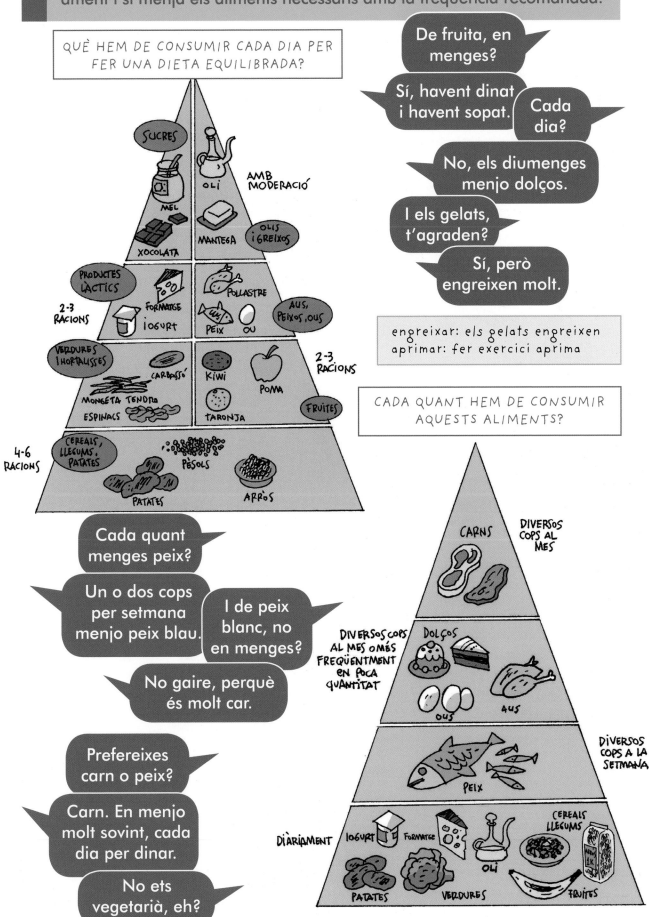

QUÈ HEM DE CONSUMIR CADA DIA PER FER UNA DIETA EQUILIBRADA?

SUCRES
OLI
AMB MODERACIÓ
MEL
MANTEGA
OLIS I GREIXOS
XOCOLATA

PRODUCTES LÀCTICS
FORMATGE
POLLASTRE
2-3 RACIONS
IOGURT
PEIX
OU
AUS, PEIXOS, OUS

VERDURES I HORTALISSES
CARBASSÓ
KIWI
POMA
2-3 RACIONS
MONGETA TENDRA
ESPINACS
TARONJA
FRUITES

4-6 RACIONS
CEREALS, LLEGUMS, PATATES
PÈSOLS
PATATES
ARRÒS

De fruita, en menges?

Sí, havent dinat i havent sopat.

Cada dia?

No, els diumenges menjo dolços.

I els gelats, t'agraden?

Sí, però engreixen molt.

engreixar: els gelats engreixen
aprimar: fer exercici aprima

CADA QUANT HEM DE CONSUMIR AQUESTS ALIMENTS?

CARNS
DIVERSOS COPS AL MES

DIVERSOS COPS AL MES O MÉS FREQÜENTMENT EN POCA QUANTITAT
DOLÇOS
OUS
AUS

PEIX
DIVERSOS COPS A LA SETMANA

DIÀRIAMENT
IOGURT
FORMATGE
OLI
CEREALS LLEGUMS
PATATES
VERDURES
FRUITES

Cada quant menges peix?

Un o dos cops per setmana menjo peix blau.

I de peix blanc, no en menges?

No gaire, perquè és molt car.

Prefereixes carn o peix?

Carn. En menjo molt sovint, cada dia per dinar.

No ets vegetarià, eh?

6 En parelles. A continuació tens preguntes i respostes, desordenades, d'una entrevista a la ràdio sobre dietes. Relaciona les preguntes amb les respostes i posa-les en l'ordre que et sembli més lògic.

PREGUNTES

1. I per dinar?
2. Les verdures, amb què s'han d'amanir?
3. I no s'ha de menjar res fins a l'hora de dinar?
4. Per concretar, què ha de menjar, per exemple, la gent que està entre els vint i els trenta anys?
5. I per acabar, s'ha de fer exercici?
6. I per sopar?
7. D'acord. Endavant! Comencem per l'esmorzar?
8. S'ha de berenar?

RESPOSTES

a) Hi ha moltes combinacions; però, si vol, li explico el que poden menjar en un dia.

b) Per començar el dia: llet descremada o dos iogurts desnatats. Dues llesques de pa integral o cereals o galetes integrals i cinquanta grams de formatge fresc.

c) Sí, una mica: un iogurt desnatat amb cereals i una peça de fruita.

d) Amanida o verdura: espinacs, enciam, mongeta tendra... amb arròs, patates o llegum. Peix o pollastre a la planxa.

e) És convenient menjar una mica a mig matí: dues peces de fruita i quatre nous, per exemple.

f) Amb oli d'oliva. Això és molt important! Com a mínim, dues cullerades d'oli al dia.

g) Com que sovint al vespre els joves surten i no mengen a casa, dono quatre possibilitats: amanida amb tonyina, ou dur i pasta; pasta amb verdures: tomàquet, carbassó i formatge; un entrepà amb pa integral, enciam, pollastre, pastanaga i tomàquet, o arròs amb pollastre i bolets: xampinyons, per exemple.

h) Sí. Dos cops per setmana i també s'ha de caminar cada dia mitja hora.

 En parelles. Escolta l'entrevista i comprova si has ordenat correctament les preguntes i les respostes. Digues què t'agrada i què no t'agrada d'aquesta dieta.

Segueixes alguna dieta? Per què? Creus que hi ha coses que s'han de menjar i coses que no s'han de menjar? Què i per què? Què has de fer i què no has de fer per seguir els consells de la doctora?

PERÍFRASI D'OBLIGACIÓ PRESENT D'INDICATIU		
impersonal	s'ha	
personal	he / haig	de + infinitiu
	has	
	ha	
	hem	
	heu	
	han	

Què s'ha de menjar?

Has de menjar fruita cada dia.

S'ha de menjar fruita.

a la planxa
a la brasa
fregit – fregida
bullit – bullida
cuit – cuita ≠ cru – crua

7 Calcula les quilocalories que necessites.

pàg. 44

DIVULGACIÓ CIENTÍFICA

Quantes quilocalories es necessiten?

En una dieta normal s'han d'ingerir de 2.000 a 3.000 quilocalories, segons l'edat, el sexe i l'activitat física realitzada. S'aconsella ingerir unes 40 quilocalories per quilo de pes al dia.

En parelles. Pregunta a la teva parella què menja en un dia (dels ingredients de la taula). Escriu els ingredients i les quantitats al quadre. Calcula les calories que menja. Comprova si menja les calories que li corresponen. Aconsella-li què ha de menjar i què no ha de menjar per fer una dieta més equilibrada.

Per esmorzar..., per dinar..., per berenar...?

Quants grams?

I a mig matí..., a mitja tarda..., abans d'anar a dormir...?

Quantes calories té...?

Quina verdura?

Has de menjar més verdura i menys carn.

Què menja en un dia?

Quina quantitat?

Què ha de menjar?

Què no ha de menjar?

TAULA D'ALIMENTS I QUILOCALORIES (kcal) PER 100 GRAMS (g) DEL PRODUCTE

CARNS	vedella	100	FRUITES SEQUES	ametlles	620
	porc	172		avellanes	670
	xai	230		cacauets	610
	pollastre	110		nous	690
PEIXOS	lluç	90	VERDURES I HORTALISSES	tomàquet	20
	rap	70		ceba	30
	llenguado	90		enciam	15
	sardina	140		pastanaga	40
OUS I DERIVATS	ous de gallina...	80	FRUITES	taronja	40
				poma	60
				cireres	60
LLEGUMS	cigrons	310		maduixes	30
	llenties	330			
	mongetes	300	SUCRES I PRODUCTES DOLÇOS	sucre	400
	pèsols	80		mel	300
CEREALS I DERIVATS	arròs	350		xocolata	710
	pa	250	GREIXOS	mantega	770
	pa integral	210		margarina	750
	pasta (amb farina de blat)	360	LÀCTICS	llet (sencera, descremada)	70, 40
FÈCULES	patates	70		iogurt (natural, desnatat)	70, 40
				formatge (fresc, semigràs, gras)	350, 370, 400
OLIS	d'oliva	930			
	de gira-sol	930	BEGUDES ALCOHÒLIQUES	cava	80
	de blat de moro	930		vi	70
	de soja	930			

Vine al mercat, reina!

8 Llegeix el text.

LA NOSTRA CIUTAT

Benvinguts al mercat de la Boqueria

El mercat de la Boqueria va néixer com un mercat ambulant, a la Rambla de Barcelona, a l'aire lliure i davant d'una de les portes de l'antiga muralla on els venedors ambulants i els pagesos venien els productes. Actualment és el mercat més representatiu de tots els mercats de Barcelona. La situació i els venedors el converteixen en un lloc de visita obligada per a tots els turistes. La majoria de parades ja eren dels pares o dels avis dels actuals propietaris.

L'oferta comercial és molt variada perquè hi ha parades de peix fresc i marisc, pesca salada i conserves, carnisseria i menuts, aviram, caça i ous, fruita i verdura, llegums i cereals, queviures, forn de pa, congelats, cansaladeria i embotits...

En grup. Coneixeu el mercat de la Boqueria de Barcelona? Coneixeu altres mercats? A la vostra ciutat hi ha mercats fixos o ambulants?

En quines parades del mercat es poden comprar aquests productes?

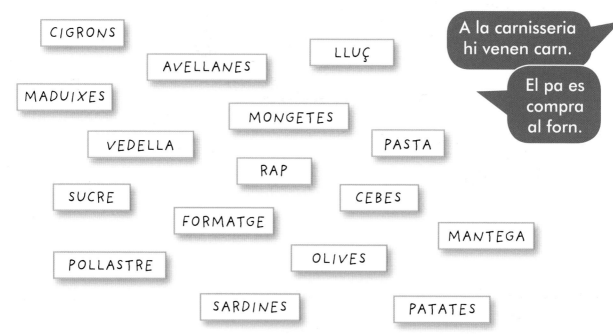

CIGRONS

AVELLANES

LLUÇ

MADUIXES

MONGETES

VEDELLA

PASTA

RAP

SUCRE

CEBES

FORMATGE

MANTEGA

POLLASTRE

OLIVES

SARDINES

PATATES

A la carnisseria hi venen carn.

El pa es compra al forn.

9 Escolta les persones que expliquen gustos i preferències sobre diferents llocs per anar a comprar i comprova si les informacions escrites de cada persona corresponen al que diuen.

❏ Compro al supermercat.

❏ L'horari és molt bo.

❏ El pa, el compro al forn.

❏ Anem al supermercat.

❏ Hi anem dues vegades cada setmana.

❏ Comprem en una botiga de queviures.

❏ Prefereixo comprar al barri.

❏ Cada dia vaig a comprar a una botiga diferent.

❏ No vaig mai al mercat, perquè és car.

❏ M'estimo més comprar per Internet.

❏ Comprar al supermercat és més barat.

❏ A vegades vaig al mercat.

10 En grup. On aneu a comprar el menjar? Us estimeu més anar a un supermercat o preferiu anar a botigues especialitzades? Feu una llista dels llocs i dels productes que hi compreu. Quants cops aneu a comprar?

(BOTIGA DE QUEVIURES) (PARADA DE...) (PASTISSERIA)

(FORN DE PA) (MERCAT)

(SUPERMERCAT) (XARCUTERIA) (PEIXATERIA)

11 En parelles. Fes la llista dels ingredients i de les quantitats que necessites per preparar un plat per a quatre persones.

AMANIDA CATALANA

1 enciam
½ quilo de tomàquets per amanir
2 cebes
1 pebrot
2 pastanagues
1 cogombre
1 pot d'olives
1 llauna de tonyina
1 llauna d'espàrrecs
4 talls de formatge
4 talls de pernil dolç
mitja dotzena d'ous

QUANTITATS

quilo
mig quilo
grams
llauna
tall
paquet
tros
bossa
ampolla
pot
dotzena

Qui és l'últim?

12 Escolta els diàlegs i marca la frase que diuen a cada parada.

Fruites i verdures COLS

XARCUTERIA CATALANA

Què diu el client per demanar un producte?

☐ Posi'm un quilo de musclos.

☐ Vull un quilo de musclos.

☐ Un quilo de musclos.

Què diu el client per preguntar el preu d'un producte?

☐ A quant van les gambes?

☐ Quin preu tenen les gambes?

Què diu el venedor quan no té un producte?

☐ Ho sento, però no n'hi ha.

☐ Ho sento, però no en tinc.

☐ Ho sento, però no en queda.

Què diu el client per especificar la qualitat del producte?

☐ Que siguin madurs.

☐ Els vull madurs.

☐ Més aviat madurs.

Què diu el client per acabar de comprar?

☐ Res més.

☐ Doncs, ja està tot.

Què diu el client per preguntar el preu total?

☐ Quant és?

☐ Quant és tot?

IMPERATIU	
TU	VOSTÈ
posa'm	posi'm

PRESENT D'INDICATIU
VOLER
vull
vols
vol
volem
voleu
volen

Com és?

13 Com poden ser els productes?

tomàquets
fuet
carn
musclos
formatge   gambes
ous
pomes
taronges
cireres

gros – grossa – grossos – grosses
petit – petita – petits – petites
madur – madura – madurs – madures
verd – verda – verds – verdes
prim – prima – prims – primes
gruixut – gruixuda – gruixuts – gruixudes
sec – seca – secs – seques
tendre – tendra – tendres – tendres
fresc – fresca – frescos – fresques
car – cara – cars – cares
barat – barata – barats – barates
dolç – dolça – dolços – dolces
amarg – amarga – amargs – amargues
rodó – rodona – rodons – rodones
allargat – allargada – allargats – allargades

BLANC - BLANCA - BLANCS - BLANQUES
NEGRE - NEGRA - NEGRES - NEGRES
GROC - GROGA - GROCS - GROGUES
BLAU - BLAVA - BLAUS - BLAVES
VERMELL - VERMELLA - VERMELLS - VERM
VERD - VERDA - VERDS - VERDES
GRIS - GRISA - GRISOS - GRISES
MARRÓ - MARRONS
CARBASSA / TARONJA - CARBASSES / TARON

Què compro?

15 En parelles. La Maria truca a la Pepa, que és a casa de la Maria, perquè vol saber si a la nevera hi ha les coses que té a la llista. Si no hi són, li demana que les compri. Després la Pepa truca a la Maria, que és a casa de la Pepa, i fa el mateix.

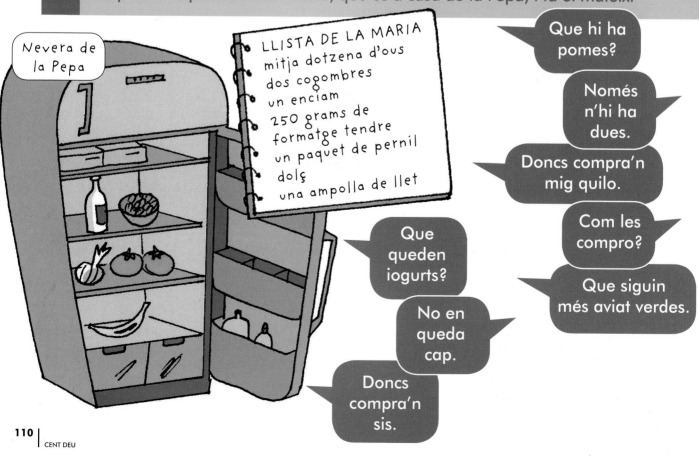

Nevera de la Pepa

LLISTA DE LA MARIA
mitja dotzena d'ous
dos cogombres
un enciam
250 grams de
formatge tendre
un paquet de pernil
dolç
una ampolla de llet

Que hi ha pomes?

Només n'hi ha dues.

Doncs compra'n mig quilo.

Com les compro?

Que siguin més aviat verdes.

Que queden iogurts?

No en queda cap.

Doncs compra'n sis.

14 Escriu la definició d'una fruita o d'una verdura i no hi posis el nom. Llegeix-la als companys perquè endevinin quina és.

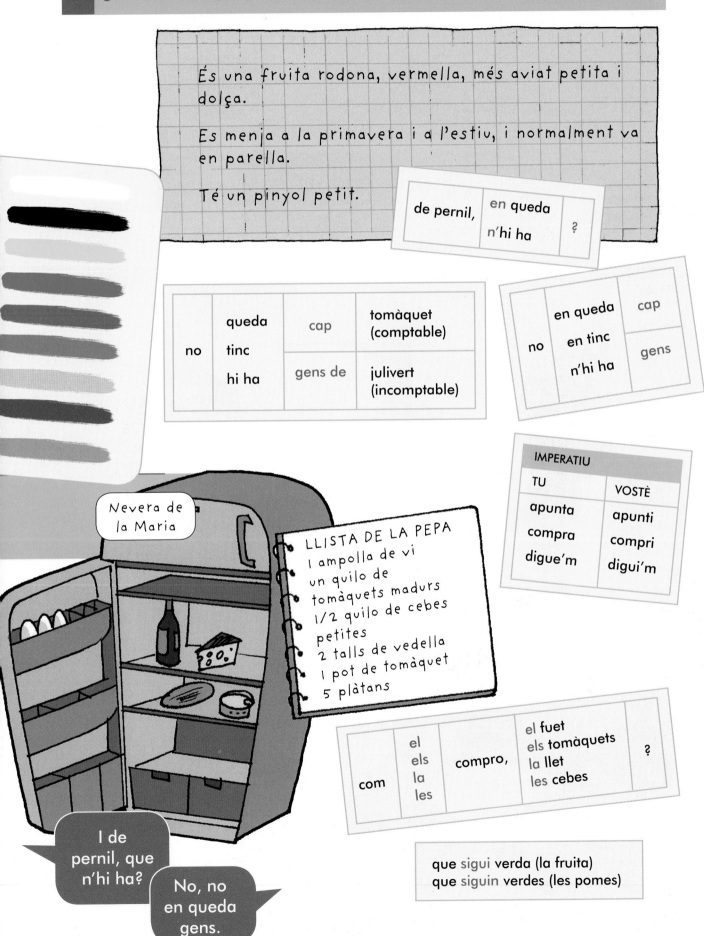

És una fruita rodona, vermella, més aviat petita i dolça.

Es menja a la primavera i a l'estiu, i normalment va en parella.

Té un pinyol petit.

de pernil,	en queda	
	n'hi ha	?

	queda	cap	tomàquet (comptable)
no	tinc		
	hi ha	gens de	julivert (incomptable)

	en queda	cap
no	en tinc	
	n'hi ha	gens

IMPERATIU	
TU	VOSTÈ
apunta	apunti
compra	compri
digue'm	digui'm

Nevera de la Maria

LLISTA DE LA PEPA
1 ampolla de vi
un quilo de tomàquets madurs
1/2 quilo de cebes petites
2 talls de vedella
1 pot de tomàquet
5 plàtans

	el		el fuet	
	els	compro,	els tomàquets	?
	la		la llet	
com	les		les cebes	

I de pernil, que n'hi ha?

No, no en queda gens.

que sigui verda (la fruita)
que siguin verdes (les pomes)

Bon profit!

16 Què diuen aquestes persones? A cada bafarada en blanc, hi correspon una de les intervencions.

IMPERATIU	
TU	passa'm, deixa'm, escolta, espera, té
VOSTÈ	passi'm, deixi'm, escolti, esperi, tingui

PRESENT D'INDICATIU

PODER
puc
pots
pot
podem
podeu
poden

Vi i aigua.

Què volen de primer?

En grup. Amb els plats dels tres menús, feu-vos el vostre menú ideal.

Que poden abaixar l'aire condicionat?

Carn de vedella amb bolets.

Passa'm la sal, sisplau.

Menú 1

PRIMER PLAT
Escalivada
Escudella

SEGON PLAT
Pollastre rostit amb prunes
Suquet de rap

POSTRES
Mel i mató
Músic

Pa i beguda

Menú 2

PRIMER PLAT
Esqueixada
Sopa de peix

SEGON PLAT
Arròs a la cassola
Botifarra amb mongetes

POSTRES
Flam de la casa
Fruita del temps

Pa i beguda

Menú 3

PRIMER PLAT
Faves a la catalana
Empedrat

SEGON PLAT
Bacallà amb samfaina
Sípia amb mandonguilles

POSTRES
Pastís de xocolata
Braç de gitano de nata

Pa i beguda, cafè i copa

Oh, i tant!

Jo prefereixo fricandó.

De seguida.

Té.

Saps què és...?

Saps què hi ha a / en...?

Decàleg del bon amfitrió i del bon convidat

17 En grup. Expliqueu-vos les convencions socials dels vostres països, quan aneu convidats a casa d'algú. Escriviu per a cada lloc tres convencions que s'hi han de fer i tres convencions que no s'hi poden fer.

LES CONVENCIONS

SI VOLS SER UN BON AMFITRIÓ, HAS DE...

PER SER UN BON CONVIDAT, S'HA DE...

SI ET CONVIDEN A SOPAR A CASA, NO POTS...

| 18 | Completa el quadre següent amb les teves preferències alimentàries. Pots fer servir la taula de l'activitat 7. |

M'AGRADA / AGRADEN MOLT	M'AGRADA / AGRADEN BASTANT	NO M'AGRADA / AGRADEN GAIRE	NO M'AGRADA / AGRADEN GENS

TASCA FINAL: En grup. Feu una llista única dels menjars que agraden i dels que no agraden a la majoria del grup. A partir d'aquesta llista, elaboreu un menú. Feu la llista de la compra amb els ingredients i les quantitats que es necessiten. Compareu el vostre menú amb els dels altres grups. Quin us sembla més equilibrat? Aconselleu alguns canvis.

ÍNDEX

PHOTO CREDITS